12
PRINCÍPIOS
PARA UMA VIDA
EXTRAORDINÁRIA

CARO LEITOR,

Queremos saber sua opinião sobre nossos livros.
Após a leitura, curta-nos no facebook/editoragentebr,
siga-nos no Twitter @EditoraGente, no Instagram @editoragente
e visite-nos no site **www.editoragente.com.br**.
Cadastre-se e contribua com sugestões, críticas ou elogios.
Boa leitura!

PAULO VIEIRA, PhD

AUTOR BRASILEIRO MAIS VENDIDO NA ATUALIDADE

12
PRINCÍPIOS
PARA UMA VIDA
EXTRAORDINÁRIA

Diretora
Rosely Boschini

Gerente Editorial
Rosângela de Araújo Pinheiro Barbosa

Editora Assistente
Franciane Batagin

Preparação
Andréa Bruno

Projeto Gráfico e Diagramação
Vanessa Lima

Revisão
Mariane Genaro e Renata Lopes Del Nero

Jornalistas Equipe Febracis
Gabriela Alencar e Raiane Ribeiro

Capa
Luyse Costa

Impressão
Edições Loyola

Copyright © 2019 by Paulo Vieira
Todos os direitos desta edição são reservados à Editora Gente.
Rua Natingui, 379 – Vila Madalena
São Paulo, SP – CEP 05443-000
Telefone: (11) 3670-2500
Site: http://www.editoragente.com.br
E-mail: gente@editoragente.com.br

Dados Internacionais de Catálogo na Publicação (CIP)
Angélica Ilacqua CRB-8/7057

Vieira, Paulo
   12 princípios para uma vida extraordinária / Paulo Vieira. — São Paulo: Editora Gente, 2019.
   160 p.

ISBN 978-85-452-0365-0

1. Sucesso 2. Sucesso nos negócios 3. Autorrealização I. Título

19-2177   CDD 650.1

Índices para catálogo sistemático:
1. Sucesso

SUMÁRIO

INTRODUÇÃO 6
CAPÍTULO 1 LABIRINTO E O POTE DE OURO 12
CAPÍTULO 2 PRINCÍPIOS E VALORES 30
CAPÍTULO 3 ACABE COM A PREGUIÇA! 40
CAPÍTULO 4 ACABE COM AS HISTORINHAS E JUSTIFICATIVAS 54
CAPÍTULO 5 SORTE E AZAR EXISTEM? 68
CAPÍTULO 6 FELICIDADE SE CONQUISTA DE SEGUNDA A SEXTA 82
CAPÍTULO 7 FAÇA COM EXCELÊNCIA 90
CAPÍTULO 8 SATISFAÇÃO E GRATIDÃO: DOIS PRÉ-REQUISITOS PARA UMA VIDA EXTRAORDINÁRIA 96
CAPÍTULO 9 MENTE SUPERIOR 108
CAPÍTULO 10 CRIE VALOR PESSOAL 116
CAPÍTULO 11 TENHA MAIS FOCO E PERSISTÊNCIA 126
CAPÍTULO 12 VIDA ABUNDANTE 138
MENSAGEM FINAL 149

INTRODUÇÃO

UM DOS CONCEITOS QUE MUDARAM A MINHA VIDA

Olá, eu sou Paulo Vieira, presidente da Febracis Coaching Integral Sistêmico® e criador do Método CIS®.[1] Trago para você 12 conceitos e ferramentas que o ajudarão a conquistar alta performance e grandes resultados na vida pessoal e profissional.

Eu decidi escrever este livro inspirado em uma frase que fez e tem feito toda a diferença na minha vida: **"O que eu não tenho é pelo que eu ainda não sei, porque, se eu soubesse, eu já teria"**. Pude comprovar esse conceito na minha vida e na vida de milhares de clientes ao longo dos últimos anos. Depois de ter incorporado completamente essa maneira de viver, comecei a crescer imensamente em todas as áreas.

Para entendermos como isso funciona, precisamos compreender que não existe sucesso por acaso, assim como ninguém se mantém em uma vida medíocre ou fracassada por acidente. É muito cômodo acreditarmos que alguém se tornou rico ou próspero por casualidade e que suas derrotas também aconteceram por influência dos astros ou do carma. Acredito que, além das influências externas, podemos comandar o barco de nossa vida e escolher por quais mares e como navegar.

---

[1] Maior treinamento de inteligência emocional com ferramentas de coaching do mundo. Já são mais de 200 turmas, com média de 6 mil participantes a cada edição. O curso é realizado uma vez por mês nas principais capitais do Brasil e já foi transmitido ao vivo para Luanda (Angola), Boston e Orlando (Estados Unidos).

Se você pegou este livro na prateleira ou ganhou de presente e o está lendo, foi por acreditar que existe uma vida melhor disponível para você. Não apenas isso, mas que há um mundo de possibilidades a seu dispor. Para isso, basta ter as ferramentas certas, dar o estímulo certo na intensidade certa e pelo tempo certo. Essa é minha proposta com esses 12 passos para uma vida extraordinária.

De fato, a carreira que você não tem é pelo que você ainda não sabe. O dinheiro que você ainda não ganha se deve ao que você ainda não sabe. O que sabemos nos trouxe até aqui, e é justamente o que ainda não sabemos que nos levará a patamares mais altos. Pois, se soubesse ganhar e acumular riqueza, você estaria em outro patamar financeiro. Se soubesse como entender melhor as pessoas, não estaria em um relacionamento mediano.

Certa vez, eu estava tirando fotos com meus filhos no Pão de Açúcar, no Rio de Janeiro, quando ouvimos uma senhora falar: "Eu tenho que me conformar em não ter dinheiro, porque, se eu tivesse dinheiro, teria viajado para a Europa com minha amiga". Ela se conforma com a condição quando, na verdade, deveria estar inconformada com o que ainda não sabe, pois, como tenho dito, se soubesse, teria vivido muito mais experiências. Se essa senhora soubesse ganhar dinheiro ou acreditasse que poderia aprender, ela poderia realizar várias conquistas, incluindo viagens. O grande problema não é não saber ganhar dinheiro, mas acreditar que não pode ou não consegue aprender a ganhar dinheiro.

O conhecimento, obtido com horas de treinamento, vídeos assistidos e livros lidos, levará você a uma vida extraordinária. Eu trago na minha vida um mantra: livro-vídeo-curso-aula, livro-vídeo-curso-aula, livro-vídeo-curso-aula. Esse mantra de assistir a vídeos, fazer cursos e ter aulas (muitas delas particulares) tem me levado a patamares cada vez mais

SE SOUBESSE GANHAR E ACUMULAR RIQUEZA, VOCÊ ESTARIA EM OUTRO PATAMAR FINANCEIRO. SE SOUBESSE COMO ENTENDER MELHOR AS PESSOAS, NÃO ESTARIA EM UM RELACIONAMENTO MEDIANO.

altos. E, como eu digo e não me canso de repetir: o que ainda não tenho é pelo que ainda não sei, porque, se soubesse, eu já teria.

Neste livro, quero ajudá-lo a galgar novos patamares na sua vida, a crescer mais, a prosperar e a ir além. Quando crescemos, fazemos um mundo melhor, inspiramos pessoas, criamos possibilidades, subimos a régua das possibilidades para quem está ao nosso redor. Eu quero ajudá-lo a transformar meu mantra em seu estilo de vida: livro-vídeo--curso-aula.

O CONHECIMENTO, OBTIDO COM HORAS DE TREINAMENTO, VÍDEOS ASSISTIDOS E LIVROS LIDOS, LEVARÁ VOCÊ A UMA VIDA EXTRAORDINÁRIA.

1
LABIRINTO E O POTE DE OURO

As fábulas dizem que, na saída de um labirinto, existe um pote de ouro. Acredito verdadeiramente que a vida é como esse labirinto. Um caminho de escolhas e decisões que reserva recompensas a todos que chegam ao fim. Na metáfora, o labirinto simboliza os desafios que teremos ao longo de nossa vida para conquistar algo de valor, e o pote de ouro é a recompensa que obteremos ao cruzá-lo.

Em nossa jornada terrena, possuímos um grande labirinto para cada área da vida e vários outros labirintos reservados para cada objetivo ou desafio. Labirintos são como as provas do colégio: se passamos, somos recompensados e estamos aptos a avançar para um novo e mais alto nível. Porém, se não passamos, continuamos no mesmo nível, no mesmo estágio, sem conquistas e sem avançar, observando com frustração os amigos e colegas que chegaram lá.

De fato, podemos escolher entrar ou não nos pequenos e grandes labirintos reservados aos nossos objetivos. Entretanto, ao sairmos da adolescência e entrarmos na fase adulta, somos jogados nos labirintos referentes a cada uma das áreas da vida (profissional, emocional, espiritual, parentes, conjugal, filhos, social, saúde, servir, intelectual e financeiro). E não tem jeito. Querendo ou não, você está irremediavelmente dentro dos seus labirintos. Devemos nos lembrar de que, para cada área da vida, existe um labirinto cheio de caminhos e escolhas. Esteja certo de que, bem ou mal, você está simultaneamente dentro do seu labirinto financeiro, conjugal, familiar, profissional, emocional, de saúde e assim por diante.

Talvez você esteja parado dentro de um dos seus labirintos ou, quem sabe, esteja andando devagar ou indo na direção errada. Seja como for, você está dentro de cada um deles. Então, a pergunta é: você conseguirá atravessá-los e chegar ao outro lado para pegar seu pote de ouro? Ou será mais uma dessas pessoas que vive sem realizações ou conquistas significativas, presas e paradas dentro do seu labirinto?

Da mesma forma, quando entramos na juventude, entramos também no labirinto profissional, e mais uma vez poderemos escolher labirintos simples e fáceis de atravessar, que nos trarão pequenas recompensas. Também poderemos escolher labirintos desafiadores, grandes e complexos, que trarão a possibilidade de grandes recompensas. A pergunta é: como atravessá-los? Que orientação, que conhecimento e que ferramentas me auxiliarão a atravessar o labirinto?

Algumas pessoas atravessam labirintos grandes e complexos e outras pessoas não serão capazes de atravessar os menores e mais simples labirintos. O que difere os dois tipos são as ferramentas, os conhecimentos e os saberes usados. As pessoas podem ser as mesmas, o que importa, no final das contas, é: que conhecimento, que ferramentas elas usam para se localizar no labirinto e avançar na direção certa, escolhendo os caminhos certos.

Ou seja, o que importa é a capacidade de tomar as decisões certas para vencer seus desafios. Como eu sempre digo: tem poder quem age e mais poder ainda quem age certo. As questões da vida de quem busca algo a mais são: como atravessar os pequenos e grandes labirintos? Como obter as recompensas prometidas? Como enfrentar os desafios e escolher os caminhos certos? Como não se perder no meio da jornada?

Este primeiro capítulo trata de como escolher os labirintos certos, atravessá-los e, ao chegar do outro lado, pegar o tão sonhado pote de ouro e todas as recompensas reservadas a quem venceu os desafios no caminho. Se você anseia por conquistar potes de ouro e fazer a vida valer a pena, venha comigo neste e nos próximos capítulos. Lembre-se: pequenos objetivos geram pequenos labirintos e pequenas recompensas. Grandes objetivos geram grandes e complicados labirintos, mas com recompensas maiores ainda. Tenho certeza de que juntos poderemos atravessar qualquer labirinto que você escolha vencer.

Como falei anteriormente, muitas pessoas, por medo da crítica, do fracasso ou por não se acharem capazes ou merecedoras, preferem não entrar nos labirintos da vida, ou seja, não encaram os desafios, permanecem estáticas, conformadas, acanhadas diante de um mundo de possibilidades. Muitas pessoas, na verdade, nem pararam para pensar que podem aprender a vencer seus desafios, a ganhar dinheiro e a se tornar prósperas. Também não aprenderam ou não perceberam que podem aprender a ser felizes no casamento, a progredir profissionalmente no trabalho.

Eu o convido a acordar e a perceber que os labirintos estão aí e que qualquer pessoa disposta a obter conhecimentos e saberes certos poderá atravessar os labirintos; seja qual for, financeiro, profissional, conjugal, na área da saúde ou na criação dos filhos. Não importa qual é o labirinto, nós podemos aprender a atravessá-lo. Existe, sim, conhecimento disponível para auxiliá-lo e ajudá-lo a vencer os labirintos da sua vida! Pare e aprenda, busque conhecimento, encontre a bússola certa, o GPS certo, a pessoa certa, a ferramenta certa para levá-lo a atravessar o labirinto, por mais complexo que seja, e chegar ao seu pote de ouro, aquele pote de ouro, o grande pote de ouro da sua vida.

COMO EU SEMPRE DIGO: TEM PODER QUEM AGE E MAIS PODER AINDA QUEM AGE CERTO.

LABIRINTO E O POTE DE OURO

Este livro está repleto de Perguntas Poderosas de Sabedoria (PPS),[2] às quais você deve responder sinceramente. Então, é importante sempre ter caneta para registrar por escrito suas respostas. Neste livro sempre haverá espaço disponível para você escrevê-las, porém, se considerar o espaço curto, utilize um caderno para responder. Dedique-se a cada tarefa com empenho. Isso será fundamental para obter os resultados desejados!

PERGUNTAS PODEROSAS DE SABEDORIA I

1. **Em que áreas da vida você está tendo dificuldade para atravessar os labirintos?**

   _____
   _____
   _____
   _____

2. **Quais recompensas (potes de ouro) você deseja receber ao cruzar os labirintos relacionados anteriormente?**

   _____
   _____
   _____
   _____

3. **Quais são as ações que você deve estabelecer e que o ajudarão a vencer os labirintos maiores e alcançar os seus objetivos?**

   _____

---

2 Perguntas Poderosas de Sabedoria, também conhecidas como PPS, são questionamentos inspirados na maiêutica ou método socrático, que trazem consciência e ação para quem está sendo questionado.

PAULO VIEIRA

PREPARAÇÃO *VERSUS* ARROGÂNCIA

Atravessar o labirinto parece ser um grande desafio para a maioria das pessoas. Eu ouço muitas pessoas dizerem: "Independência financeira e riqueza não são para todos", "Montar uma empresa e ter sucesso é muito difícil nos dias de hoje". Dizem ainda: "Hoje em dia, três entre dez casais se divorciam, e os que permanecem juntos não são felizes". Na verdade, o que essas pessoas estão dizendo é que não é nada fácil atravessar os labirintos da vida e conquistar seus sonhos. É o mesmo que dizer "sorte no jogo, azar no amor". Mas posso afirmar: ESSAS PESSOAS ESTÃO ERRADAS. É fácil ganhar dinheiro, é fácil ter um corpo saudável, é fácil construir uma carreira ou empresa de sucesso. É fácil construir uma família feliz...

O difícil é se preparar para isso. Em outras palavras, é fácil atravessar o seu labirinto financeiro e conquistar aquele superpote de ouro; o difícil é achar quem esteja verdadeiramente disposto a se preparar para atravessar o labirinto. É fácil atravessar o labirinto da saúde e ter um corpo forte e saudável; o difícil é se exercitar e se alimentar da maneira certa.

É incrível como tantas pessoas motivadas e comprometidas com o sucesso entram nos labirintos da vida completamente despreparadas. Elas entram nos labirintos em busca de realizar sonhos com tanta autossuficiência e arrogância, acreditando que sozinhas conseguirão chegar à saída. De maneira geral, essas pessoas, arrogantes e autossuficientes, vivem no modo tentativa-erro. Elas seguem um caminho que, aos olhos delas, parece adequado até, lá na frente, esbarrarem em um muro e perceberem que era o caminho errado. E novamente, de modo arrogante, sem pedir ajuda, sem

EU O CONVIDO A ACORDAR E A PERCEBER QUE OS LABIRINTOS ESTÃO AÍ E QUE QUALQUER PESSOA DISPOSTA A OBTER CONHECIMENTOS E SABERES CERTOS PODERÁ ATRAVESSAR OS LABIRINTOS; SEJA QUAL FOR, FINANCEIRO, PROFISSIONAL, CONJUGAL, NA ÁREA DA SAÚDE OU NA CRIAÇÃO DOS FILHOS.

buscar aprender como atravessá-lo, seguem labirinto adentro em busca do pote de ouro. E, mais uma vez, encontram um beco sem saída.

Por pura arrogância, muitas e muitas pessoas desperdiçam a vida tentando sozinhas desvendar os labirintos da vida. Mergulham em uma vida de fracasso ao entrarem em seus labirintos sem o conhecimento necessário, sem estudar, sem se preparar adequadamente, sem usar a tecnologia disponível e sem pedir ajuda às pessoas certas que já fizeram esse trajeto. Essas pessoas acreditam que apenas a boa intenção e a boa vontade serão suficientes.

Certa vez, uma conhecida orgulhosamente compartilhou que abriria uma loja de roupas no shopping mais chique da cidade. Curioso, perguntei quanto custaria e se ela já tinha o dinheiro para investir no negócio. Ela respondeu: "Ah, custa entre 1 milhão e 2 milhões de reais. Tenho metade do dinheiro de que preciso". Então eu perguntei como ela havia conseguido o dinheiro, e ela respondeu com um sorriso no rosto: "Meu pai e meu marido vão me ajudar a abrir esse negócio". E continuou: "Estou tão feliz! Você me dá força nisso, Paulo?". Respondi: "É claro que não!". E ela perguntou: "Você não me apoia, Paulo?". E confirmei minha resposta: "Não". Percebi que ela não me entendeu, então perguntei: "Que loja você já montou? O que entende de moda, de gestão, de vendas, de pessoas, de ferramentas?". E ela respondeu: "Não entendo nada". Então falei: "E como você quer que eu dê força? Não posso fazer isso, pois eu gosto de você". Minha amiga não percebeu que o pai e o marido não agiam com o discernimento necessário, não se guiavam pela visão de um gestor de negócios.

O tamanho do problema daquela jovem representava a complexidade e o tamanho do labirinto em que estava entrando. Com essa perspectiva e por querer ajudá-la, além de fazê-la refletir mais profundamente sobre a questão, fiz algumas perguntas: "Você já gerenciou alguma empresa?".

Ela respondeu com um sorriso ingênuo: "Não, eu nunca gerenciei uma empresa". Continuei minhas Perguntas Poderosas de Sabedoria: "Em algum momento de sua vida você empreendeu algum negócio?". Meio sem jeito, mas ainda com um sorriso otimista e ingênuo, ela respondeu que nunca tinha trabalhado na vida. Mais perplexo ainda, fiz uma saraivada de perguntas: "Você já negociou com bancos ou credores?", "Você entende de questões tributárias?", "Você entende os números financeiros de uma empresa, como fluxo de caixa, DRE,[3] balanço patrimonial?". A tudo ela respondeu com um sorridente "Não".

Era óbvio que o labirinto dela guardava um gigantesco pote de ouro na saída, mas também era mais do que óbvio que ela não estava preparada para atravessar aquele labirinto. A arrogância era nítida na atitude da jovem. Como uma pessoa que nunca se desafiou em nenhum tipo de labirinto empresarial, sem conhecimento e sem ajuda especializada se lançará em um complexo e intricado labirinto? Olhando para esse caso, pode até parecer ingenuidade dela, mas não se engane: a ingenuidade é irmã gêmea da arrogância. O que ela estava vivendo era um perigoso surto de arrogância ao se julgar capaz de vencer os mais complexos e graves desafios embutidos na abertura de uma loja em um shopping.

Filmes, telejornais e novelas frequentemente nos mostram pessoas despreparadas vencendo os mais desafiadores labirintos. Isso pode acontecer, porém, as chances são de uma em um milhão; trata-se da exceção da exceção. Para cada pessoa despreparada que conseguiu atravessar um labirinto desafiador, existe 1 milhão de perdidos ao longo do caminho. Espero que você não esteja contando com milagres ou com a sorte para vencer em labirintos desafiadores.

---

3 A Demonstração do Resultado do Exercício (DRE) é um relatório contábil que apresenta as operações e o resultado da empresa. Detalha os valores para os grupos de receitas, custos, despesas, lucros e impostos.

Quando aceitamos entrar em um labirinto de grandes desafios, seja pelo tamanho do problema a ser resolvido ou pelo tamanho do objetivo a ser conquistado, precisamos nos perguntar se de fato estamos preparados para isso. No caso dessa conhecida que mencionei, antes de entrar em um labirinto tão complexo, ela deveria se preparar de maneira extraordinária com conhecimentos, saberes e tecnologias capazes de fazê-la atravessar tal labirinto. No entanto, mesmo que ela estivesse tecnicamente preparada, será que ela estava emocionalmente preparada para tal desafio? A única maneira de descobrir seria entrar em um labirinto menor e menos complexo no qual ela pudesse testar suas novas habilidades e competências, mas também aprender ainda mais durante a jornada em um labirinto mais simples.

ATRAVESSANDO UM LABIRINTO SEM ESTAR PREPARADO

Todos nós já vimos casos e mais casos de pessoas que mergulharam em labirintos que não estavam preparadas para vencer. Elas se desafiaram a escalar os picos mais altos ou a fazer travessias em lagos e mares. Sabemos pelos livros de história e pelos telejornais o resultado desastroso para muitas dessas pessoas. Trazendo para o nosso dia a dia, quantas pessoas despreparadas nós vimos se aventurarem no labirinto do empreendedorismo, julgando-se superpreparadas para atravessá-lo e conquistar seu pote de ouro? Pessoas que deixaram seus empregos, venderam suas casas, endividaram-se em bancos ou empréstimos pessoais para entrar no labirinto do empreendedorismo. Pessoas que se sentiam seguras e confiantes, porém a cada nova curva se deparavam com uma parede intransponível que as obrigava a voltar e recomeçar. Cada recomeço, cada caminho errado, cada minuto perdido consumiam seus recursos. Depois de um tempo, viram-se sem recursos, sem ajuda e sem condições de chegar a algum lugar. Presas ou perdidas no labirinto que antes significava o caminho para seus sonhos mais importantes e agora representava seus piores e mais irremediáveis pesadelos.

É muito comum pessoas virem até mim felizes e entusiasmadas para compartilhar que vão empreender em um supernegócio. Dizem que o negócio será extraordinário e que ganharão muito dinheiro. Com respeito, responsabilidade e amor por essas pessoas, faço sempre Perguntas Poderosas de Sabedoria (PPS) para que elas tenham consciência de suas competências para atravessar aquele labirinto.

PERGUNTAS PODEROSAS DE SABEDORIA II

1. Qual é o grande objetivo da sua vida hoje?

___

___

___

___

2. Relacione a seguir as habilidades ou os conhecimentos de que você precisa para atravessá-lo e depois dê uma nota de 0 a 10 para quão apto está para colocar em prática tal habilidade.

Habilidade/Conhecimento	Nota	Habilidade/Conhecimento	Nota
1.		6.	
2.		7.	
3.		8.	
4.		9.	
5.		10.	

3. De quais livros, vídeos e cursos você precisa para estar verdadeiramente preparado para atravessar esse labirinto?

_____
_____
_____
_____

4. Em que outro momento da sua vida você entrou em um labirinto ou desafio e descobriu não estar preparado para atravessá-lo?

_____
_____
_____
_____

5. Se você entrar nesse labirinto sem estar realmente preparado, quais são os possíveis prejuízos?

_____
_____
_____
_____

Olhando para minha própria vida, em 2007 eu contabilizava ótimos resultados em todas as áreas, porém, mais uma vez, eu estava me autossabotando. Com mais uma queda e retrocesso na área financeira, percebi que eu não havia atravessado meu labirinto financeiro nem pegado meu pote de ouro definitivo. Havia conquistado algumas metas financeiras e vencido pequenos labirintos, mas estava longe de vencer. Por ter algumas conquistas e avanços, ensoberbeci, acomodei-me e parei de continuar aprendendo. Novamente, fiquei paralisado, sem saber para onde ir ou como sair daquela situação.

VENCER UM LABIRINTO NÃO NOS GARANTE VENCER OUTROS LABIRINTOS

Quem navega por um pequeno rio pode não estar preparado para atravessar um grande lago, muito menos para navegar no mar e provavelmente menos preparado ainda para atravessar o oceano.

Vejo acontecer com inúmeras pessoas o que aconteceu comigo em 2007. Por avançar em seus labirintos até certa parte, com um otimismo infantil, acreditam que já venceram. Vencer e atravessar labirintos no passado não garante que você esteja pronto para atravessar outro.

Você provavelmente conhece a história de Davi, um menino pastor de ovelhas, ruivo, com no máximo 1,65 metro de altura, que derrotou Golias, um soldado filisteu com mais de 2,83 metros. Poucas pessoas sabem que esse menino já havia derrotado um urso e um leão. Golias não era seu primeiro grande desafio. Davi era pequeno e jovem, porém era experiente em grandes desafios e muito bem treinado.

Eu me ponho a imaginar quantas centenas ou milhares de vezes Davi treinou lançar a funda[4] no alvo. Ele não entrou naquela disputa como quem vai para uma aventura, mas como quem enfrenta um desafio enfrentado e vencido outras vezes.

Há dois detalhes importantes que fazem toda a diferença. O primeiro é: ele tinha experiência de derrotar um leão e um urso. Segundo: ele treinou lançar a funda centenas ou milhares de vezes. Então, quando falo de atravessar o labirinto, preciso fazer duas perguntas: você tem experiências de êxito em atravessar labirintos semelhantes ao que deseja

---
4   Arma de arremesso usada por Davi, semelhante a um estilingue.

enfrentar agora? Mesmo com experiência e competência comprovada, você se preparou para o desafio específico que é esse novo labirinto?

No mundo empresarial, muitas pessoas tiveram um sucesso tremendo na carreira como executivos, mas, ao empreenderem negócios próprios, fracassaram drasticamente, perdendo todos os bens conquistados ao longo da vida. Elas não entendem que vencer o labirinto de uma carreira executiva é completamente diferente de vencer um labirinto de empreendedor. Não quer dizer que seja mais fácil ou mais difícil; são labirintos diferentes que exigem habilidades, conhecimentos e competências diferentes. Isso se aplica a tudo na vida. Não é porque um jogador de futebol jogou nos melhores times do mundo que estará pronto para ser um técnico de futebol de destaque. Vencer o labirinto do jogador de sucesso é uma coisa; vencer o labirinto de técnico é um desafio diferente do primeiro.

Certo dia, em uma conversa com uma arquiteta, ela me falava de sua carreira profissional. Contou que nos primeiros dez anos de carreira cresceu muito, e nos últimos três anos sua carreira havia declinado. Expliquei que para crescer necessitamos vencer certos labirintos, e para nos mantermos no topo é necessário atravessar outros labirintos e vencer outros desafios. São labirintos diferentes com expertises diferentes. O que eu sei me trouxe até aqui, e é justamente o que eu ainda não sei que me levará adiante. Usando nossa metáfora, os labirintos que você atravessou o trouxeram até aqui, e são justamente os labirintos que você ainda não venceu que o levarão adiante.

Perguntei à minha amiga arquiteta: "Quais são os labirintos que você precisa atravessar para voltar a crescer em sua profissão e carreira?". Segui com a pergunta complementar: "E quais serão os outros labirintos que farão você se manter no topo?". Depois dessas perguntas, ela me olhou em silêncio, como quem procura em si uma resposta. Passado algum tempo, disse: "Não tenho ideia do que fazer. Não sei se estou perdida no meu labirinto profissional ou se sequer entrei em um novo labirinto".

O fato é que ela soube atravessar os labirintos do início da carreira e soube cruzar os labirintos em anos de carreira vencedora. Porém os dias de hoje pedem um novo labirinto. O que ela sabe a ajudou a chegar até aqui, mas é justamente o que ela ainda não sabe que a levará adiante. Eu trago aqui um tema icônico: o sucesso do passado não garante o sucesso no presente, muito menos no futuro. Ter atravessado labirintos do passado não garante atravessar os labirintos do futuro. São novos e diferentes labirintos. Achar que está pronto para atravessar os novos labirintos sem novos saberes é cair nos maiores motivos de fracasso: a arrogância e a autossuficiência.

Agora, vou deixar algumas orientações:

1. **Você já está dentro de vários labirintos simultaneamente.**
2. **Não acredite que por ter vencido o labirinto do passado você está apto a vencer os labirintos do futuro.**
3. **Busque as ferramentas e os saberes necessários para os novos e desafiantes labirintos.**
4. **Ter vencido o labirinto profissional não garante vencer o labirinto financeiro e assim por diante.**
5. **Escolha os labirintos que contemplam o pote de ouro que você deseja.**
6. **Labirintos desafiadores pedem uma preparação mais intensa. Se o labirinto em que você se encontra hoje é muito desafiador, você não precisa desistir dele. Prepare-se e estabeleça labirintos menores.**

7. Divida seus labirintos grandes em vários labirintos menores, ou seja, uma grande meta precisa ser subdividida em metas menores e mais fáceis de serem conquistadas.
8. Não existem labirintos muito fáceis nem labirintos muito difíceis. Existem pessoas preparadas ou despreparadas para atravessá-los.
9. Contentar-se em vencer pequenos labirintos no presente pode significar frustração no futuro.

O QUE EU SEI ME TROUXE ATÉ AQUI, E É JUSTAMENTE O QUE EU AINDA NÃO SEI QUE ME LEVARÁ ADIANTE.

2
PRINCÍPIOS E VALORES

Ter principios e valores é uma maneira de não tropeçar ao longo do caminho e de chegar mais longe e mais rápido aos seus objetivos. A vida é feita de caminhos e escolhas; dependendo do caminho escolhido, existem armadilhas, buracos, pedras, troncos, paus, e nós precisamos aprender a trafegar nessa vida. Como eu acabei de dizer: a primeira coisa a aprender é escolher os caminhos certos. Caminhos recheados de valores e princípios e que nos levem a realizar nossos propósitos de vida.

Por ser testemunha da minha vida e da vida de muitas e muitas pessoas, eu posso garantir: normalmente, somos nós mesmos que colocamos pedras, troncos e pedaços de pau em nossa jornada, e isso acontece pela qualidade das nossas escolhas e decisões.

Muitos brasileiros ainda vivem na lei de Gérson, levam vantagem em cima de tudo e de todos: trabalham pouco e ganham muito, fazem pouco e têm muito. Isso sempre em detrimento de alguém, em uma relação em que alguém ganha e o outro perde. Esses caminhos fáceis são armadilhas; na verdade, são atalhos, e segundo o dito popular, "se atalho fosse bom, seria chamado de caminho". Eu quero convidá-lo a não buscar atalhos, a buscar o melhor caminho; às vezes, os caminhos são mais longos, porém são mais certos, mais seguros, sem armadilhas, sem troncos, sem paus, sem barrancos.

Acredite: se você busca vencer na vida, precisa se tornar um perito em distinguir atalhos de caminhos. As pessoas de sucesso trilham o melhor caminho, não o que chega mais rápido, mas o mais seguro, mais verdadeiro e mais justo. Como já disse, caminhos pavimentados com princípios e valores.

Pessoas que vencem fazem direito e fazem uma única vez. Pessoas que não pautam sua vida em princípios e valores fazem várias vezes, caem várias vezes e, muitas vezes, desistem de se levantar.

Vamos observar um lado extremo dos atalhos. Existem ladrões de carga de medicamentos porque existem farmácias que compram remédios muito abaixo do preço de fábrica. Existem ladrões de celular porque existem pessoas que compram celulares roubados. Em todos os casos, vemos pessoas que buscam o sucesso, o crescimento, porém deixam de lado princípios e valores.

Os indivíduos dos dois lados dessa situação buscam uma vida fácil, mas, na verdade, essa é uma vida de tropeços, de tristeza, de destruição. Eu quero convidar você, que busca uma vida extraordinária, a seguir **o segundo passo do sucesso: entender que, se atalho fosse bom, seria um caminho.** Caminhos geram aprendizado e maturidade, exigem planejamento, dedicação e esforço. Na caminhada, você se tornará uma pessoa melhor e, no fim da jornada, será uma pessoa completamente diferente daquela que iniciou. Princípios e valores orientam escolhas difíceis, geram caminhos mais longos, porém aprimoram nossas competências e nos tornam fortes e sábios. Já aqueles que optam pelo atalho, pelo caminho supostamente fácil e rápido, tornam-se pessoas piores a cada passo. E, ao longo do caminho, tornam-se frágeis, estúpidas e arrogantes.

O caminho mais longo nos fará dizer não para produtos piratas, para cópias, para falsificações. Nos fará dizer não para amizades ruins e ambientes que, a princípio, podem parecer prazerosos, mas são improdutivos. Nos fará

PRINCÍPIOS E VALORES ORIENTAM ESCOLHAS DIFÍCEIS, GERAM CAMINHOS MAIS LONGOS, PORÉM APRIMORAM NOSSAS COMPETÊNCIAS E NOS TORNAM FORTES E SÁBIOS.

dizer não para pechinchas e para "grandes oportunidades" que são ameaças aos princípios e valores. Ao corrompermos princípios e valores, nós nos expomos aos caminhos tortuosos e ameaçadores.

Ao comprarmos uma bolsa falsificada, financiamos o contrabando, o tráfico de drogas, o tráfico humano e o tráfico de armas. Ao corrompermos nossos valores e princípios, desestruturamos a nós e a toda a sociedade. Talvez eu esteja sendo duro, mas eu sei – e você sabe – que estou sendo verdadeiro. A pergunta é: de que time você faz parte? Dos vitoriosos reais ou daqueles que buscam a vitória causando mal a si e a outros? Dos que prosperam em meio às adversidades ou daqueles que criam a própria adversidade, por egoísmo e em busca desesperada pelo sucesso?

Seguir princípios e valores é, na verdade, estabelecer limites para si e para tudo e todos que o rodeiam; é dizer não a muitas coisas e sim a poucas coisas. Quando alguém busca seguir princípios e valores corretos e justos em seu relacionamento, dirá não para muitas paqueras, transas, casos e dirá sim apenas para uma pessoa, e essa atitude criará estabilidade na família.

Quando alguém decide chegar cedo ao trabalho e se dedicar produzindo com qualidade e em quantidade extraordinárias, dizendo não para conversas de corredor, para atrasos, para pouca produtividade, para o tempo perdido em redes sociais, está estabelecendo limites de uma conduta profissional, está dizendo não a uma infinidade de possibilidades prazerosas, e dizendo sim para sua carreira e seu futuro profissional. Da mesma maneira, quando uma jovem ou um jovem estabelecem limites na sua conduta e dizem não ao sexo precoce, estão dizendo sim para um futuro amoroso muito mais pleno, leve e feliz.

Eu comparo uma vida com princípios e valores a uma peneira cuja finalidade é filtrar tudo que não tem a dimensão adequada. Nossos

PRINCÍPIOS E VALORES

princípios e valores têm a função de filtrar pessoas, ambientes, comportamentos, escolhas, alimentos, programas e delimitar um caminho seguro, direto, constante, que nos levará de onde estamos hoje para onde queremos chegar.

Obedecer aos nossos princípios e valores é como dirigir um carro em uma estrada bem sinalizada. Quem obedece à sinalização dificilmente se envolverá em um acidente e certamente chegará ao seu destino. Quem não respeita os sinais se expõe e expõe outros a riscos iminentes e a nunca chegar ao seu destino. Já vi muitas pessoas questionando princípios e valores por os considerarem radicais. Essas pessoas acreditam, entre outras coisas, que sexo é banal, que comprar um CD pirata não prejudica ninguém e que estar em qualquer ambiente, por mais pernóstico que seja, não é algo ruim.

Da mesma maneira, vi pessoas morrendo por questionarem os sinais da estrada, pessoas que questionaram o limite de velocidade e morreram derrapando na curva, que questionaram o sinal para não ultrapassar e tiraram a vida de outras pessoas. Em todos esses exemplos, eram pessoas que não respeitavam princípios, regras, valores, pessoas que questionavam a validade desses princípios e, como consequência, causaram enormes prejuízos a si, aos seus familiares e à sociedade.

A grande questão é: como estabelecer os valores certos? O que define os valores e os princípios do bem? Como estabelecer valores que me façam conquistar meus sonhos de maneira verdadeira e justa? O Coaching Integral Sistêmico® traz uma ferramenta chamada As 8 Instâncias, com 8 padrões ou conexões diferentes de relacionamentos.

A primeira instância que pessoas de valores e princípios precisam respeitar e construir é a conexão consigo mesmas, pois, se elas não se respeitam, vão atrair pessoas que não as respeitam. E aí vem a pergunta:

o que eu faço, o que eu digo, meu comportamento, minhas escolhas fazem verdadeiramente bem a mim hoje e a longo prazo?

A **segunda instância** é a conexão que possuo com quem divido minha vida. E, mais uma vez, meus valores e princípios precisam prestigiar não apenas a mim, mas também a meu parceiro de vida. De novo, mais perguntas: minhas escolhas, meus comportamentos, minhas atitudes respeitam e privilegiam mútua e simultaneamente a mim e ao meu parceiro?

A **terceira instância** é a conexão com as pessoas que convivem no mesmo lar. Mais uma vez: sua conduta, suas escolhas, seus comportamentos, suas atitudes prestigiam, respeitam e honram você e essas pessoas? Essas pessoas também o respeitam e o prestigiam?

A **quarta instância** é o ambiente profissional. Conheço pessoas que na vida privada pautam comportamentos, escolhas e atitudes em princípios e valores extraordinários, mas deixam de lado tais princípios e valores, abandonam as regras básicas de respeito, honra, boa educação e boa convivência no ambiente profissional. São pessoas dicotômicas, incoerentes e que trarão prejuízos a si e aos seus pares por não respeitarem princípios e valores em outras áreas da vida.

A **quinta instância** diz respeito aos parentes. Pessoas que costumam acompanhar de perto a nossa vida, que, em algum momento, se doaram e nos ajudaram e, muitas vezes, são esquecidas por não fazermos valer os princípios e valores para honrá-las e respeitá-las.

A **sexta instância** é a social. Quando temos os melhores valores e princípios em todas as áreas da vida, temos a certeza de trafegar de maneira efetiva e plena. Assim, precisamos também estabelecer e vivenciar princípios e valores para nossa vida social; regras de conduta que definem como tratar e como ser tratado, limites que nos farão bem hoje e no

PRINCÍPIOS E VALORES

futuro. Uma conduta que não apenas garantirá conexões saudáveis com essas pessoas ao longo do tempo, mas também aprofundará e aprimorará os relacionamentos.

A sétima instância é a comunidade. Não há como questionar: vivemos em um ambiente comunitário, compartilhando escolas, universidades, ambientes profissionais, ruas, praias, clubes. Não há como ter uma vida plena sem trafegar no ambiente comunitário de maneira plena, harmônica e produtiva. Eu costumo avaliar o caráter das pessoas e o valor que dão aos seres humanos observando como tratam quem não tem nada a oferecer em troca. Por exemplo, como você trata o pedinte na rua? Como você trata o funcionário de um supermercado depois de pedir informação? Como você trata o motorista que pede passagem no trânsito? Como trata o pedestre ou ciclista quando você está dirigindo? Quando temos princípios e valores fortes e arraigados, não importa a instância de relacionamento, não importam a circunstância ou o momento. Os valores sempre falarão mais alto e manifestarão quem você é.

A última instância envolve todas as outras. Nós não a chamamos de instância oito, mas de instância zero, pois ela é o início de tudo: a instância Deus. Talvez você, leitor, seja ateu, mas eu peço que, mesmo assim, reflita sobre essa instância e entenda o que nomeamos Deus como a força criadora do universo, a inteligência suprema ou a própria energia do amor.

Qual é sua conexão com Deus em amor, em entrega e em gratidão? Independentemente de religião, pense na sua espiritualidade. Esse é o ponto de partida para as outras instâncias: se eu não estou bem com Deus, não estou bem comigo, com meu cônjuge etc. O equilíbrio dessa conexão é essencial para alcançar a plenitude nas outras áreas.

PAULO VIEIRA

**AS 8 INSTÂNCIAS
DA SUPERPLENITUDE**
(CONEXÃO TOTAL)

Infelizmente, muitas pessoas relativizam seus valores. Se estão em um ambiente específico, vivem certos valores; se estão em outros ambientes, vivem outros. Algumas pessoas deixam o calor do momento definir quais valores vão viver. Há ainda quem valorize e prestigie seus funcionários e, por isso, são chamados de líderes. Em casa, essas pessoas maltratam, machucam e desonram seus filhos. Vemos a mesma pessoa viver valores diferentes em ambientes diferentes. Como seria esse pai, líder do lar, se vivesse em casa os mesmos valores de liderança vividos na empresa?

PERGUNTAS PODEROSAS DE SABEDORIA III

1. Quais são os seus valores?

_____

_____

_____

2. Quais são seus valores para cada uma das 8 Instâncias?

Eu: _____

Cônjuge: _____

Lar: _____

PRINCÍPIOS E VALORES

Profissional: _____
Parentes: _____
Social: _____
Comunidade: _____
Deus: _____

3. Qual foi a última vez que você corrompeu um valor seu?
_____
_____
_____

4. Em que instância você precisa repensar seus valores?
_____
_____
_____

5. Seus valores colaboram com você e com as pessoas que o rodeiam? De que forma?
_____
_____
_____

Faça as escolhas certas, prestigie princípios e valores, tenha credibilidade, seja reconhecido por seu caráter. Use a peneira dos princípios e valores para filtrar pessoas, ambientes, circunstâncias destoantes de seus valores. Limites estarão claros, e regras, explícitas. Apenas ficarão com você pessoas que partilham seus valores e princípios. Isso trará plenitude, produtividade, paz, constância e realização.

3
ACABE COM A PREGUIÇA!

O terceiro passo para uma vida extraordinária é **acabar com a preguiça**. Parece um tema estranho, uma forma negativa de abordar, mas eu quero chamar sua atenção, quero que abra os olhos para este mal: a preguiça.

Vou citar uma passagem bíblica: 'Até quando dormirás, ó preguiçoso? Quando te levantarás do sono? A pobreza te atacará como um bandido, e a necessidade te atacará como um homem armado" (Provérbios, 6: 9-11).

E então eu pergunto: será que você está levando uma vida acomodada e preguiçosa? Será que está dormindo enquanto a vida passa? Será que está parado enquanto lá fora as coisas estão acontecendo?

A preguiça é um mal sorrateiro que se esconde e se disfarça e, por isso, nem sempre é percebido. Cuidado com a preguiça, pois ela é uma maldição. Ficar na cama deitado além do tempo necessário é maldição. Dormir além de oito horas é maldição. Dormir todos os dias fora do horário é maldição. Não fazer as coisas acontecerem é maldição. Perder a vida na frente da televisão ou de qualquer outro dispositivo em seriados é maldição. Gastar seu tempo em games e computadores é maldição. Não tomar conta do próprio destino, vivendo o prazer imediato, é maldição. Não usufruir o melhor da vida é maldição.

Na verdade, a preguiça é o disfarce usado pelo prazer imediato. Adiar o prazer imediato e fazer o que tem de ser feito para ter sucesso é uma das principais características das pessoas de sucesso. Adiar o sono desnecessário para se exercitar, trabalhar e estudar é uma prerrogativa campeã. Largar a televisão, o computador, o game e fazer o que tem de ser feito para ter sucesso é uma prerrogativa dos vencedores. Eu entendo que o contrário da preguiça é a disciplina; da mesma maneira, o contrário de uma pessoa sedentária é uma pessoa atlética; o contrário de uma pessoa pobre é uma pessoa rica; o contrário de uma pessoa gorda é uma pessoa magra. Percebemos com muita clareza que os malsucedidos são preguiçosos e os bem-sucedidos desses exemplos são os disciplinados.

O que difere uma pessoa disciplinada de uma preguiçosa é justamente o modo como cada uma usa o próprio tempo. O preguiçoso nunca tem tempo para nada e realiza muito pouco. Já o disciplinado sempre tem tempo para fazer mais alguma atividade e sempre realiza muitas coisas. Uma pessoa preguiçosa sonha com o que não tem, sonha com o que os outros têm, mas não faz nada de efetivo para conquistar. Afinal, sonhar já é um esforço grande o suficiente para ela. Pessoas disciplinadas e dispostas a fazer o que tem de ser feito, mais do que sonhar, agem, agem certo e na velocidade certa. Como sabemos, o tempo é o bem ativo mais democrático que existe. Todos nós temos 24 horas em um dia, 7 dias em uma semana e 52 semanas em um ano. O que diferencia uma pessoa de extremo sucesso de uma de extremo fracasso é como cada uma usa o próprio tempo. E você, como usa seu tempo? No campo da disciplina ou jogando o jogo da preguiça?

Agora, eu o convido a observar sua vida e avaliar se ela é preguiçosa. Porém não observe da maneira tradicional, mas como o Coaching Integral Sistêmico® faz.

ADIAR O PRAZER IMEDIATO E FAZER O QUE TEM DE SER FEITO PARA TER SUCESSO É UMA DAS PRINCIPAIS CARACTERÍSTICAS DAS PESSOAS DE SUCESSO.

PAULO VIEIRA

Digamos que você tem uma vida profissional muito ativa: não desperdiça tempo, trabalha muito e aproveita bem essa vida profissional com resultados. No entanto, será que você não está sendo preguiçoso no que diz respeito à própria saúde? Talvez esteja engordando, quase obeso, com as veias entupidas e gordura no fígado. Não acordar cedo, não caminhar, não tomar uma atitude, tudo isso também é preguiça, por mais que você tenha sucesso profissional. Será que você é um excelente profissional, mas, por preguiça ou comodismo, está deixando seus filhos abandonados em casa? Ou ainda, será que por preguiça você está deixando seu casamento se esvair por entre os dedos? Ou será que, por preguiça, você está deixando sua vida intelectual desatualizada, por não ler, por não estudar, por não entrar em um treinamento, por não fazer um curso? O que quero dizer é que no ardil da preguiça, ela pode se esconder atrás de um homem ou de uma mulher superprodutivos profissionalmente, porém obesos e fracos no quesito família. E por quê? Porque para essas pessoas é mais cômodo ou mais prazeroso, ou até mesmo mais confortável, ser disciplinado na vida profissional e preguiçoso na vida familiar.

Conheci um atleta amador muito focado no triátlon e no seu trabalho, um verdadeiro campeão profissional e esportivo. Ninguém se atreveria a negar o quanto essa pessoa era disciplinada tanto no trabalho quanto no esporte, acordando todos os dias às 4h30 da manhã para pedalar ou correr e, depois disso, tendo um dia megacorrido e produtivo profissionalmente. E, finalizando o dia, às 22h30, com a natação. A pergunta é: essa pessoa é preguiçosa? Claro que não e claro que sim. Claro que não pelo ritmo e pela disciplina profissional e esportiva. E claro que sim pelo casal de filhos que às vezes passam mais de uma semana sem vê-lo. Afinal, quando as crianças acordam, ele

O QUE DIFERE UMA PESSOA DISCIPLINADA DE UMA PREGUIÇOSA É JUSTAMENTE O MODO COMO CADA UMA USA O PRÓPRIO TEMPO.

está treinando, durante o almoço está trabalhando e à noite está nadando no clube. E, quando chega em casa, os filhos já estão dormindo. É assim que a preguiça mais sorrateira se manifesta, de maneira sutil e disfarçada. E, muitas vezes, aquelas pessoas que nós percebemos como as mais disciplinadas são também as mais preguiçosas. E você, é preguiçoso ou disciplinado? E em que áreas da vida?

Fique atento, pois uma vida realmente produtiva e plena não se faz em apenas uma ou duas áreas da vida, mas em todas as áreas. E eu quero convidá-lo a ser esse homem superdisciplinado ou essa mulher superdisciplinada. Quero que identifique em quais áreas você ainda é preguiçoso e acomodado. E eu pergunto novamente: em que área da sua vida você tem agido com preguiça? Com sofá? Com cama? Com inação? Com paralisia?

_____

_____

_____

_____

É na área espiritual, vivendo uma vida preguiçosa, acomodada espiritualmente? Ou será que é na relação com seus pais e irmãos que você está preguiçoso, sem lhes dedicar tempo nem mesmo para um abraço ou uma ligação? Ou será que é no seu casamento, com seus filhos, com seus amigos? Será que é no seu trabalho que você leva com a barriga, empurrando de maneira preguiçosa, fazendo malfeito, fazendo o mínimo possível apenas para não ser chamado a atenção, sem olhar para a qualidade ou os resultados do que faz? Seja como for, você colherá esses resultados na sua vida, do espiritual ao

NO ARDIL DA PREGUIÇA, ELA PODE SE ESCONDER ATRÁS DE UM HOMEM OU DE UMA MULHER SUPERPRODUTIVOS PROFISSIONALMENTE, PORÉM OBESOS E FRACOS NO QUESITO FAMÍLIA.

profissional, do familiar ao social, você colherá os resultados que plantar com suas ações ou inações. Colha os melhores resultados, destrua a preguiça, a paralisação e tudo que o impede, e aí sim, aja na direção certa. Lembre-se: nós estamos plantando o nosso campo, e, como você já deve ter ouvido falar, podemos escolher o que plantamos, mas jamais escolheremos o que vamos colher. Você está plantando disciplina ou preguiça?

Conheço uma pessoa que, certo dia, passou muito mal, quase teve um infarto e, ao ser atendida no hospital, teve de colocar cinco stents, molas que abrem as artérias para que o sangue possa circular. As artérias estavam entupidas de gordura, decorrente do sedentarismo e de uma má alimentação, ou seja, da preguiça de se exercitar e de se alimentar de modo adequado. Anos depois, essa pessoa passou mal novamente e pelo mesmo motivo. Essa pessoa leva a vida no computador, jogando, e na televisão, assistindo a jogos de futebol.

A preguiça pode custar a vida dessa pessoa. Preguiça é mortal: onde se instala, ela destrói. Se ela se instalar no seu casamento, vai destruí-lo. Se ela se instalar entre você e seus filhos, ela destruirá a relação de vocês. A preguiça é como uma muralha que sobe entre você e seu objeto de desejo. Então, não faça como essa pessoa tão querida que está destruindo a própria vida por preguiça. Faça suas escolhas e jogue fora a preguiça enquanto há tempo, enquanto ela não o domina, enquanto ela não destrói o que é mais importante para sua vida.

EXERCÍCIO

Em qual área da sua vida você está preguiçoso? Analise com atenção cada pilar e escreva a seguir que atitudes, hábitos ou comportamentos negativos você vem tendo.

FIQUE ATENTO, POIS UMA VIDA REALMENTE PRODUTIVA E PLENA NÃO SE FAZ EM APENAS UMA OU DUAS ÁREAS DA VIDA, MAS EM TODAS AS ÁREAS.

PAULO VIEIRA

Lembre-se: é fundamental escrever, colocar no papel, pois isso traz consciência e ter consciência é o primeiro passo para obter mudanças e evoluir.

Financeira
_____
_____
_____

Profissional
_____
_____
_____

Conjugal
_____
_____
_____

Espiritual
_____
_____
_____

Saúde
_____
_____
_____

LEMBRE-SE: NÓS ESTAMOS PLANTANDO O NOSSO CAMPO, E, COMO VOCÊ JÁ DEVE TER OUVIDO FALAR, NÓS PODEMOS ESCOLHER O QUE PLANTAMOS, MAS JAMAIS ESCOLHEREMOS O QUE VAMOS COLHER.

PAULO VIEIRA

Social e lazer
_____
_____
_____

Familiar
_____
_____
_____

Intelectual
_____
_____
_____

    Não importam quais tenham sido suas respostas, você tem a liberdade, o direito e até mesmo o dever de conquistar a disciplina em todas as áreas da sua vida. Lembre-se de que o livre-arbítrio é a maior e mais poderosa ferramenta que o ser humano tem, a decisão agora – no presente – de fazer diferente. Faça diferente. Mude a sua vida enquanto há tempo.

LEMBRE-SE DE QUE O LIVRE-ARBÍTRIO É A MAIOR E MAIS PODEROSA FERRAMENTA QUE O SER HUMANO TEM, A DECISÃO AGORA – NO PRESENTE – DE FAZER DIFERENTE. DE MUDAR A SUA VIDA ENQUANTO HÁ TEMPO.

4

ACABE COM AS HISTORINHAS E JUSTIFICATIVAS

Todos os nossos hábitos nocivos, nossos comportamentos negativos, nossas escolhas e nossos resultados ruins necessitam de uma estrutura comportamental para continuar existindo em nossas vidas. Eliminando essa estrutura, que eu chamo de historinhas, somos capazes de promover qualquer tipo de mudança em nossa vida. Veja bem: qualquer tipo de mudança. Então, o que nos resta saber é o que são essas historinhas e como eliminá-las.

Antes de explicar as historinhas, preciso dizer que o ser humano é a mais perfeita criação de Deus. O ser humano possui prerrogativas e potencialidades naturais que inexoravelmente tendem a levá-lo ao sucesso. Repito: a natureza humana tende à plenitude e à abundância. E não apenas isso: nós, seres humanos, fomos criados para boas obras, para fazer o bem, para cooperar e amar a nós mesmos e ao próximo. Assim, qualquer pessoa, independentemente de raça, escolaridade, origem, idade ou orientação sexual, naturalmente tende à plenitude e ao sucesso por meio de boas ações. Porém, quando alguém não vive o seu melhor, está envolto em problemas, poucas realizações e disfunções de caráter, é porque algo está impedindo a natureza humana de se manifestar nessa pessoa. E, baseado em 22 anos de coaching, com quase mil clientes individuais e 10.800 horas de sessões, posso garantir que o que impede as pessoas de atingirem e viverem seu potencial máximo não são fatores externos, muito

O SER HUMANO POSSUI PRERROGATIVAS E POTENCIALIDADES NATURAIS QUE INEXORAVELMENTE TENDEM A LEVÁ-LO AO SUCESSO. A NATUREZA HUMANA TENDE À PLENITUDE E À ABUNDÂNCIA.

ACABE COM AS HISTORINHAS E JUSTIFICATIVAS

menos acontecimentos casuais ou fortuitos. O que de fato impede alguém de mudar a si mesmo e as circunstâncias atuais e prosperar são as **historinhas**. Então, o que são as historinhas?

As historinhas são padrões linguísticos em forma de fala ou pensamentos que repetimos para nós e para os outros que justificam, explicam ou tiram o foco de nossos defeitos, fraquezas, insucessos e fracassos. As historinhas são uma maneira de não nos responsabilizarmos pelos resultados que temos colhido na vida. Você já viu alguém ser demitido e admitir que foi um mau profissional? Já viu alguém se divorciar e assumir a responsabilidade pelo fim do casamento? Quantos obesos admitem que comem muito e mal? Quantas pessoas você viu quebrar o próprio negócio e admitir que foi um mau empresário? Quer um exemplo?

Eu já testemunhei pessoas demitidas acusarem e culparem a crise, a empresa, o chefe, mas nunca admitirem chegar atrasadas, produzir com má qualidade e ainda prejudicar o clima organizacional. Conheci um rapaz indignado com seu divórcio e com a ex-esposa, que o deixou, segundo ele, repentina e cruelmente. O que ele não me falou é que a traía com frequência, bebia e ela sustentava a casa sozinha. Mas, claro, é fácil tirar a responsabilidade de si por meio de historinhas mentirosas – porém muito bem contadas –, que justificam e explicam nossos insucessos. Conheço uma pessoa que tinha um corpo lindo e esbelto na juventude, e hoje é obesa e, para justificar e explicar sua atual condição, conta as mais bobas e infantis historinhas: "Eu não como nada, o problema é o meu metabolismo que é lento e o corticoide que eu tomo me deixa inchada". Para você, quem é o responsável pelos seus problemas, erros e fracassos? Que historinha conta para justificar o que você não é, não faz e ainda não tem?

Se quer acabar com os hábitos nocivos, com os maus comportamentos, mudar seus resultados e conquistar seus objetivos, você precisa

AS HISTORINHAS SÃO UMA MANEIRA DE NÃO NOS RESPONSABILIZARMOS PELOS RESULTADOS QUE TEMOS COLHIDO NA VIDA.

ACABE COM AS HISTORINHAS E JUSTIFICATIVAS

identificar que áreas estão ruins na sua vida e entender que, se elas estão ruins, é porque existem historinhas que as mantêm assim.

No processo de Coaching Integral Sistêmico nós identificamos quais historinhas são essas. "Eu sou assim com a minha esposa porque ela é muito rude e não faz sexo comigo." Na verdade, esse homem é viciado em ser rude e grosseiro e usa a historinha para justificar os próprios atos e comportamentos. Ele não é rude e grosseiro por causa dela. Muito provavelmente, se ele mudar de esposa encontrará outra pessoa com a qual também será rude e grosseiro. É isso mesmo.

Vamos entender essas historinhas? Fulano me diz: "Eu não passei no vestibular porque não caiu na prova o que eu estudei". Mais uma vez, historinha de justificativa. É porque você estudou errado, é porque você não estudou, é porque você não se orientou bem. Pare de contar historinha. Todo fracasso, todo hábito e comportamento nocivo, todos os resultados que se perpetuam na vida de uma pessoa só se perpetuam se tiverem uma historinha que os justifique. Nós tendemos para o bem, tendemos para o acerto, tendemos para a alta performance. O que o segura na baixa performance? O que o segura em hábitos e comportamentos nocivos? Historinhas que justificam.

Eu conheci um homem que teve um crescimento tremendo na vida e foi trabalhar em determinada instituição. Ele era da igreja que eu frequentava. E ele começou a chegar para mim e dizer: "Paulo, eu não estou gostando mais da igreja, as pessoas não estão batendo, e é por isso que eu não estou tão íntimo com Deus, por causa das pessoas". Mentira. Esse cara roubava a instituição na qual trabalhava, tinha vergonha de si mesmo, de ir à igreja sabendo que roubava. Para continuar roubando dos outros e não ir para a igreja, ele precisava contar uma historinha que justificasse isso. Ele tinha uma historinha linda,

TODO FRACASSO, TODO HÁBITO E COMPORTAMENTO NOCIVO, TODOS OS RESULTADOS QUE SE PERPETUAM NA VIDA DE UMA PESSOA SÓ SE PERPETUAM SE TIVEREM UMA HISTORINHA QUE OS JUSTIFIQUE.

ACABE COM AS HISTORINHAS E JUSTIFICATIVAS

bem explicada e contextualizada para se afastar de Deus, da igreja e para continuar roubando. Para roubar, ele tinha de estar longe de Deus. Como alguém rouba perto de Deus? Você não consegue. Você se incomoda, seu caráter grita com você. Ele precisava se afastar da igreja e para isso contava uma historinha muito bem contada, com roteiro maravilhoso, e ele continuou nisso até se destruir nessa instituição e estar longe de Deus.

Qual é a historinha que você conta? "Ah, eu bati no meu filho porque o que ele fez é imperdoável." Mentira. Você é grosseiro, descontrolado, impaciente e não sabe educar seu filho. Como um pai trata com impaciência e grosseria um filho? Ele é seu inimigo ou é seu amigo? É seu filho, maior amor da sua vida, ou um grande inimigo em quem você bate com ódio e fúria, gritando? Não é pelo que ele fez que você bate, é porque você é grosseiro, descontrolado e estúpido. Por isso você bate dessa maneira no seu filho. Mas para continuar batendo, você precisa contar uma historinha. É porque você está cansado? É porque você está estressado? É porque ele fez algo muito errado?

Problema	Historinha	História real	Solução
Divórcio	Esposa deixou de repente, sem motivos.	Marido traía, bebia frequentemente, não contribuía com as despesas da casa.	Assumir a responsabilidade dos próprios atos.
Obesidade	Metabolismo lento, inchaço causado por remédios.	Má alimentação e sedentarismo.	Admitir os erros e assumir as consequências dos próprios atos.
Não passou no vestibular	O que estudou não caiu na prova.	Estudou errado, sem orientação adequada.	Admitir o que fez de errado e fazer diferente.

PAULO VIEIRA

Se você quer ter sucesso na vida, identifique os hábitos, os comportamentos nocivos, os resultados gerados ao longo de sua vida. E pare de contar historinhas para justificar esses comportamentos e manter esses hábitos. "Ah, eu bebo porque...", bebe porque você é alcoólatra, bebe porque é fraco. Assuma seu estado atual. Comece a partir da verdade. Historinha invariavelmente é mentira. Por mais que doa, assuma a verdade e busque ajuda para essa verdade. E mude sua vida.

Reconheça e arrependa-se, esse é o início das mudanças. A historinha faz você não se arrepender nem reconhecer a verdade. Então, cuidado com as historinhas que justificam seus erros. Cuidado com essas historinhas tão bem contadas. E eu quero perguntar: que historinhas você tem contado no seu casamento para justificar não fazer sexo, para justificar estar distante? Que historinhas você tem contado em relação aos seus filhos? Que historinhas você tem contado em relação a dinheiro, às suas finanças? Que historinhas você tem contado em relação ao seu trabalho? Ao seu insucesso, às suas não conquistas? Que historinhas tem contado para si mesmo, que historinhas o mantêm no mesmo padrão e no mesmo patamar, sem mudança e sem crescimento? Vamos retomar um exemplo do quadro da página anterior:

Certa vez, o João disse que não passou no vestibular.
Problema: Não passar no vestibular.
Historinha: Não caiu o que eu estudei.
Verdade: Estudou sem orientação.
Solução: Admitir o que fez de errado e fazer diferente.

Agora é a sua vez!

SE VOCÊ QUER TER SUCESSO NA VIDA, IDENTIFIQUE OS HÁBITOS, OS COMPORTAMENTOS NOCIVOS, OS RESULTADOS GERADOS AO LONGO DE SUA VIDA. E PARE DE CONTAR HISTORINHA.

EXERCÍCIO

PASSO 1: Identifique as três áreas mais deficientes da sua vida.

1. _____
2. _____
3. _____

PASSO 2: Identifique as três principais historinhas para cada uma dessas áreas deficientes.

ÁREA DEFICIENTE 1

Historinha 1
_____
_____

Historinha 2
_____
_____

Historinha 3
_____
_____

ÁREA DEFICIENTE 2

Historinha 1
_____
_____

ACABE COM AS HISTORINHAS E JUSTIFICATIVAS

Historinha 2
_____
_____

Historinha 3
_____
_____

ÁREA DEFICIENTE 3

Historinha 1
_____
_____

Historinha 2
_____
_____

Historinha 3
_____
_____

PASSO 3: Inverta o significado de cada uma das três historinhas e escreva a nova história de sucesso.

ÁREA 1

Nova história 1
_____
_____

PAULO VIEIRA

_____
_____

Nova história 2
_____
_____
_____
_____

Nova história 3
_____
_____
_____

ÁREA 2
Nova história 1
_____
_____
_____
_____

Nova história 2
_____
_____
_____
_____

ACABE COM AS HISTORINHAS E JUSTIFICATIVAS

Nova história 3
_____
_____
_____
_____

ÁREA 3

Nova história 1
_____
_____
_____
_____

Nova história 2
_____
_____
_____
_____

Nova história 3
_____
_____
_____
_____

5
SORTE E AZAR EXISTEM?

O quinto passo para uma vida extraordinária é **criar a própria sorte**. Você deve estar se perguntando: sorte e azar existem? Eu posso criar a minha própria sorte? Sim, e eu digo com toda a convicção do mundo: sorte e azar certamente existem e não são aleatórios, não vêm ao acaso. Sorte significa probabilidade, e as pessoas podem ter boa ou má sorte. Assim, eu faço um convite: vamos mudar a nossa sorte, criar e produzir uma boa sorte. E por que estou fazendo esse convite? Porque acredito que podemos mudar a probabilidade dos acontecimentos em nossa vida e fazer acontecer mais coisas boas e muito menos coisas ruins. Sim, acredite, nós podemos mudar nossa sorte!

Quando olho para minha vida de anos atrás, lembro que, quando chegava o final do ano, sempre me perguntava o que de ruim aconteceria no ano seguinte. E, naquela época, quando uma coisa podia dar errado, ela certamente dava errado, e até as coisas que tinham tudo para dar certo acabavam dando errado. Dia após dia, eu me perguntava: "O que eu fiz para ter tanta má sorte? Por que tudo dá errado pra mim?". Será que você se pergunta isso? Será que você também se sente uma pessoa azarada?

Acredite, nós criamos a nossa sorte assim como criamos o nosso azar. Eu posso iniciar essa explicação citando passagens bíblicas: "O Senhor, o seu Deus, cuidará deles, e lhes restaurará a sorte" (Sofonias, 2: 7); "Eu lhes darei honra e louvor entre todos os povos da terra, quando eu

ACREDITO QUE PODEMOS MUDAR A PROBABILIDADE DOS ACONTECIMENTOS EM NOSSA VIDA E FAZER ACONTECER MAIS COISAS BOAS E MUITO MENOS COISAS RUINS. SIM, ACREDITE, NÓS PODEMOS MUDAR A NOSSA SORTE!

SORTE E AZAR EXISTEM?

restaurar a sua sorte diante dos seus próprios olhos" (Sofonias 3: 20). O que esses versículos dizem é a verdade: a nossa sorte pode ser restaurada. E é exatamente isso! Deus muda a nossa sorte, trazendo o bem e não o mal. Também é possível encontrar explicação para ter sorte ou azar na ciência, mais especificamente, na física quântica.[5]

Essa área de estudo afirma que quem cria a realidade é quem a observa, ou seja, a forma como as pessoas enxergam o mundo ao seu redor determina os acontecimentos que elas viverão. A física quântica também afirma que não existem propriedades objetivas na matéria que independam da mente do observador. Logo, a matéria, a realidade concreta, depende de quem a está observando, do ângulo em que a pessoa decide focar.

Para que você entenda melhor, vou explicar a teoria e os experimentos quânticos. Foram feitos vários experimentos que consistiam no seguinte: colocava-se uma pessoa como Observador 1 atento a um elétron específico de um átomo. Esse observador enxergava esse elétron numa órbita específica, isto é, numa posição específica que vamos chamar de Posição A.

Observador 1 Realidade 1	Observador 2 Realidade 2	Observador 3 Realidade 3	Observador 4 Realidade 4

Nesse mesmo instante, o Observador 2, observando o mesmo elétron A, via-o em outra posição. E veio um terceiro observador – o Observador 3 –,

---

5 Física quântica é um ramo teórico da ciência que estuda todos os fenômenos que acontecem com as partículas atômicas e subatômicas, ou seja, que são iguais ou menores que os átomos, como os elétrons, os prótons, as moléculas e os fótons.

observando naquele mesmo instante o mesmo átomo e o mesmo elétron. E mais uma vez aquele mesmo elétron A estava em outro local do átomo. E assim se fez repetidamente. E todos os observadores ao mesmo instante olharam para o mesmo elétron e viram aquele mesmo elétron A em posições diferentes.

A questão é: como pessoas diferentes olham para a mesma matéria, ou seja, para a mesma realidade, e veem coisas diferentes? Então, quem determina a realidade? A própria realidade ou quem a observa?

Cada vez que um observador olhava para o átomo e via o elétron em locais diferentes, ele estava vendo a matéria de modo diferente. Em outras palavras, estava vendo uma nova realidade. E nós já entendemos que quem controla a matéria e a realidade é a própria pessoa que as observa. E essa é a vida de nós, observadores. Nós estamos criando nossa sorte, criando nosso azar, criando nossa realidade, criando nossa própria vida.

Todo o tempo alguém me pergunta: "Paulo, como eu crio minha vida? Como eu crio minha realidade? Como eu crio um ambiente de sorte ou um ambiente de azar?". Na verdade, você já está criando sua sorte, seu azar e sua realidade. Tudo que o rodeia já é fruto da maneira como você observa o mundo a seu redor. Na prática, você, observador, não percebe o mundo como ele é, você percebe e cria o mundo assim como você o vê.

Reiterando: eu não vejo o mundo como o mundo é, eu vejo o mundo como eu acredito que o mundo é, ou seja, através das minhas crenças. Esse é o xis da questão. Quando, por exemplo, eu falo dos meus filhos, não estou falando dos meus filhos, estou falando de como vejo meus filhos. Quando falo da minha esposa, não estou falando da minha esposa, estou falando de como vejo e percebo minha esposa. Quando falo do Brasil, eu não falo do Brasil, falo como eu percebo e creio que o Brasil é.

QUEM CONTROLA A MATÉRIA E A REALIDADE É A PRÓPRIA PESSOA QUE AS OBSERVA.
E ESSA É A VIDA DE NÓS, OBSERVADORES. NÓS ESTAMOS CRIANDO NOSSA SORTE, CRIANDO NOSSO AZAR, CRIANDO NOSSA REALIDADE, CRIANDO NOSSA PRÓPRIA VIDA.

Lembre-se: você e eu vemos o mundo pelas lentes de nossas crenças, e são elas justamente os óculos através dos quais percebemos e criamos o mundo ao nosso redor.

Citando a Bíblia novamente: "A candeia do corpo são os olhos; de sorte que, se os teus olhos forem bons, todo o teu corpo terá luz; se, porém, os teus olhos forem maus, o teu corpo será tenebroso. Se, portanto, a luz que em ti há são trevas, quão grandes serão tais trevas!" (Mateus 6: 22-23). Se eu vejo as coisas de uma maneira positiva, tudo é bom. Se eu vejo o mundo de uma maneira negativa, tudo é ruim. Mais uma vez, eu crio a realidade.

Vou contar uma história para você. Certa vez, um sábio estava na entrada de uma cidade e ali apareceu um viajante. Ele olhou para o sábio e perguntou: "Como é essa cidade em cuja entrada você está parado?". E o sábio perguntou de volta: "Por que você quer saber, meu filho?". "Porque estou procurando uma nova cidade para morar." Ao que o sábio perguntou: "Por que você quer morar em outra cidade?". O viajante respondeu: "Porque a minha cidade só tem pessoas de mau caráter, desonestas, os pássaros são feios, o tempo é nublado, é uma cidade horrível e sem prosperidade, eu não quero mais viver lá". E o sábio disse: "Meu filho, parece que você está descrevendo exatamente esta cidade em que eu moro. As pessoas aqui também são desonestas e mau caráter, os pássaros são feios, o céu é nublado, não há prosperidade".

E o viajante disse, com grosseria: "Não quero ficar pior do que já estou, então vou para um lugar melhor". E saiu procurando outra cidade.

No dia seguinte, outro jovem que passava na frente daquela cidade perguntou ao sábio: "Meu senhor, poderia me dizer como é essa cidade onde o senhor está parado à porta?". E o sábio respondeu: "Por quê,

SE EU VEJO AS COISAS DE UMA MANEIRA POSITIVA, TUDO É BOM. SE EU VEJO O MUNDO DE UMA MANEIRA NEGATIVA, TUDO É RUIM. MAIS UMA VEZ, EU CRIO A REALIDADE.

meu filho?". Ao que esse segundo viajante disse: "Porque estou procurando um novo lugar para morar". E o sábio, curioso, indagou: "Por que você está nessa procura?". E então o jovem respondeu: "A minha cidade é maravilhosa, tem pessoas maravilhosas, crianças educadas, casais amorosos, velhos sábios e condescendentes, é uma cidade próspera e linda, só que é uma pequena cidade, pequenina, e meu negócio cresceu muito. Meu irmão ficou tocando o meu negócio lá, e eu busco expandi-lo. E, por isso, estou procurando uma cidade linda, de pessoas felizes, onde eu possa prosperar, uma cidade alegre e próspera, de pessoas maravilhosas". E o sábio disse: "Meu filho, parece que você está descrevendo exatamente a minha cidade. Aqui é um lugar lindo, próspero, de pessoas maravilhosas. Não é muito grande, mas é uma cidade de muita riqueza". E o rapaz disse: "Pois é aqui mesmo que eu quero morar". E entrou feliz naquela cidade.

Ao lado do sábio, um menino observou atento as duas situações e, intrigado com a diferença das respostas do sábio, perguntou: "Por que o senhor deu respostas tão diferentes? Resolveu começar a mentir?". E o sábio disse: "Não, meu jovem, aonde quer que as pessoas vão, elas vão enxergar fora delas o que já existe dentro delas. Por isso, tudo que falei aqui foi a mais pura verdade. Não importa aonde o primeiro rapaz vá, ele sempre verá o pior do mundo. Mas esse rapaz que chegou hoje, que só observa o melhor das pessoas e do mundo, sempre encontrará o melhor aonde quer que vá".

É por meio das crenças e dos modelos mentais elaborados ao longo de nossa vida que construímos o nosso mundo de possibilidades. Então, se você quer mudar a sua sorte, mude suas crenças. E, dessa maneira, você não apenas verá um mundo diferente, mas também criará uma nova forma de viver. E aí você pode me perguntar: "Como eu mudo as minhas crenças?". Sinceramente, eu o aconselho a participar do Método CIS®, o maior treinamento de inteligência emocional do mundo e também detentor de ferramentas poderosíssimas para reprogramação de crenças.[6]

Enquanto isso, vou dar uma resposta mais simples.[7] A primeira coisa a fazer quando se quer mudar crenças é entender a matriz de geração de crenças, que pode ser observada na imagem a seguir.

Primeiro entendemos que tudo que eu comunico produz um padrão de pensamentos. Assim, se eu comunico tristeza, naturalmente vou produzir um padrão de pensamentos e diálogos internos de tristeza na minha mente. Seguindo o mesmo caminho neural, esses pensamentos de tristeza produzirão sentimentos na mesma estrutura e padrão de tristeza. E se eu mantiver a comunicação de tristeza,

---

6 Saiba mais em https://www.febracis.com.br/cursos/metodo-cis/.
7 Você pode ler mais detalhadamente sobre isso no meu livro *O poder da ação*.

SE VOCÊ QUER MUDAR A SUA SORTE, MUDE SUAS CRENÇAS. E, DESSA MANEIRA, VOCÊ NÃO APENAS VERÁ UM MUNDO DIFERENTE MAS TAMBÉM CRIARÁ UMA NOVA FORMA DE VIVER.

reforçarei os pensamentos tristes, que culminarão em sentimentos de tristeza. Essa sequência neural termina na produção de crenças. E, como já sabemos, nós não vemos o mundo como ele é, e sim como nossas crenças são.

Ao comunicarmos tristeza, pensamos coisas tristes e nos sentimos tristes, e assim formamos uma trilogia neurológica que produz crenças de tristeza, vitimização e derrota. É evidente que nossas crenças vêm do que comunicamos, pensamos e sentimos. Mas o *start* original está na comunicação. Se você não freia, não controla, não conduz a sua comunicação, não controla sua maneira de pensar, controla muito menos sua maneira de sentir. Obviamente, quem não controla a própria fala em atos, palavras e ações não controla as próprias crenças. Então, eu quero lhe dar a dica de 1 milhão de dólares: quer mudar suas crenças? Cuide da sua comunicação o tempo todo para que seus pensamentos e sentimentos estejam sob controle e alinhados com a realidade que você quer. Para ter uma vida extraordinária, use suas palavras para produzir pensamentos, sentimentos e crenças de vitória.

EXERCÍCIO

Sem censura e com verdade, na coluna da esquerda liste frases que você costuma usar no dia a dia e que não têm criado a realidade desejada. À direita, liste a frase correspondente que você se compromete a falar a partir de agora.

FRASES VITIMIZADORAS	FRASES VITORIOSAS
Exemplo: Hoje meu dia será lotado e difícil.	Hoje meu dia será muito produtivo e tudo se resolverá da melhor maneira.

QUER MUDAR SUAS CRENÇAS? CUIDE DA SUA COMUNICAÇÃO O TEMPO TODO PARA QUE SEUS PENSAMENTOS E SENTIMENTOS ESTEJAM SOB CONTROLE E ALINHADOS COM A REALIDADE QUE VOCÊ QUER.

6
FELICIDADE SE CONQUISTA DE SEGUNDA A SEXTA

Chegamos ao **sexto passo** para uma vida extraordinária. Como tenho dito, eu acredito em uma vida extraordinária, eu acredito que nós estamos aqui para viver o melhor da vida, não apenas de maneira egoísta, mas multiplicando o bem, multiplicando o amor, a prosperidade e as potencialidades.

Antes de falar que **felicidade se conquista de segunda a sexta**, eu preciso dar uma definição, pelo menos minha, da Febracis, do que é felicidade. Felicidade na psicologia é um bem-estar subjetivo, é se sentir bem, mas para a Febracis é a somatória de se sentir bem, mas também uma vida de realizações concretas em cada uma de suas áreas. Quando olharmos para todas as áreas da vida, naturalmente compreendemos que precisamos estar bem com Deus, com nossos pais e irmãos, no casamento, com nossos filhos, na saúde, com os amigos. E não apenas isso. Para uma vida plena, precisamos também de êxito financeiro e profissional, precisamos ainda servir ao próximo, desenvolver o intelecto, até chegar ao equilíbrio e à potencialização das emoções.

É comum vermos pessoas ganharem um bom dinheiro e dizerem: "Eu sou feliz, eu ganho tantos mil reais por mês". Outra pessoa diz: "Eu sou feliz, porque meu casamento é maravilhoso". "Ah, eu sou feliz porque meu corpo é lindo, saudável, musculoso." Será que essas pessoas são mesmo felizes, potencializando apenas uma ou outra área da vida?

Será que só ter dinheiro faz alguém feliz? Será que só ter uma carreira profissional de sucesso faz alguém feliz? Será que só ter um corpo bonito, o rosto belo, faz alguém feliz? A felicidade é a somatória potencializada de todas as onze áreas da vida.

Agora você já sabe o que é felicidade. A pergunta é: como restaurar ou potencializar essas onze áreas da vida? Como se tornar uma pessoa realizada em todas essas áreas?

As pessoas que fazem o Método CIS® e a Formação em Coaching Integral Sistêmico® recebem uma ferramenta chamada agenda da vida extraordinária. E essa ferramenta traz todo um conceito capaz de redefinir e refazer todo o seu estilo de vida. O nome desse conceito é **felicidade se conquista de segunda a sexta**.

Nós já sabemos que precisamos cuidar das onze áreas da vida e, para que isso aconteça, precisamos dedicar tempo e ações concretas para cada uma delas. A minha proposta é que você seja de fato feliz de segunda a sexta. E, para isso, você precisa viver e experienciar todas as onze áreas da sua vida ao longo da semana. Muitas pessoas querem ser pais apenas no fim de semana, abandonando seus filhos de segunda a sexta. Outras pessoas deixam para cuidar do relacionamento, do casamento apenas no fim de semana. Existem os atletas de fim de semana, que passam a semana de maneira sedentária e querendo conquistar saúde e bem-estar físico jogando bola apenas aos sábados. Um outro tanto de pessoas são filhos apenas no almoço de domingo, quando veem seus pais, e durante toda a semana são indiferentes e ausentes em relação a seus progenitores. Conheço pessoas que se dizem religiosas, mas se conectam com Deus apenas no domingo, quando se sentam no banco das igrejas.

A maioria das pessoas abdica do direito de ser feliz por tentar viver todas as onze áreas da vida apenas no fim de semana. Isso é impossível.

A FELICIDADE É A SOMATÓRIA POTENCIALIZADA DE TODAS AS ONZE ÁREAS DA VIDA.

A felicidade verdadeira se dá pela experiência, pelo contato real. E, para que isso aconteça, precisamos saber distribuir todas as áreas da nossa vida ao longo de toda a semana, e não tentar concentrá-las em apenas dois dias. Um homem para viver plenamente a paternidade precisa ser pai de segunda a sexta, brincando, beijando, orientando, colocando seus filhos para dormir. Achar que conseguirá criar filhos fortes e felizes usando apenas o fim de semana para isso é pura ilusão. Da mesma maneira, para ter e construir saúde, precisamos nos exercitar e nos alimentar bem de segunda a sexta, e não nos enganarmos tentando nos convencer de que teremos saúde sendo atletas apenas no fim de semana. Um marido ou uma esposa precisam ser efetivos no seu papel, beijando, amando, fazendo sexo, conversando de segunda a sexta, e não trancando seu parceiro no quarto da solidão e só o abrindo no fim de semana.

O seu desafio é usar a agenda a seguir e contemplar o maior número de áreas da sua vida de segunda a sexta. Você deve, de segunda a sexta, dedicar tempo a seu casamento. Como? Almoçando uma ou duas vezes na semana com seu cônjuge, indo ao cinema. Literalmente, reservando e planejando momentos para investir tempo na relação de vocês. Da mesma maneira, você deve, de segunda a sexta, dedicar tempo a seu filho. E assim por diante, de modo que, ao chegar na sexta-feira, você tenha sido um pai efetivo, um cônjuge efetivo, um filho efetivo, um cristão efetivo, um amigo efetivo etc. E aí você me pergunta: "E o sábado e o domingo? Não farei nada com eles?". Nessa ferramenta, nós dedicamos o sábado e o domingo para o *plus*: já que eu fui feliz e pleno em todas as áreas da vida de segunda a sexta, o fim de semana é o *plus*, é o momento de ser ainda mais feliz. O fim de semana não é o momento de remediar áreas da minha vida, mas sim o momento de ser ainda mais feliz, ainda mais realizado. Observe o modelo de

A FELICIDADE VERDADEIRA SE DÁ PELA EXPERIÊNCIA, PELO CONTATO REAL. E, PARA QUE ISSO ACONTEÇA, PRECISAMOS SABER DISTRIBUIR TODAS AS ÁREAS DA NOSSA VIDA AO LONGO DE TODA A SEMANA, E NÃO TENTAR CONCENTRÁ-LAS EM APENAS DOIS DIAS.

agenda da vida extraordinária a seguir e você verá que essa pessoa contempla todas as áreas da vida dela de segunda a sexta, com ações relevantes ou ações simples. Ela consegue ser efetiva e atuante e consequentemente realizada e plena em sua vida.

Agora que você já entendeu como montar a agenda, é a sua vez de montar a sua. E, mesmo que você não consiga cumprir sua agenda todos os dias, ela servirá como balizador e norteador, trazendo foco e atenção a um novo estilo de vida. Mantenha sua agenda sempre à vista e, cada vez que uma área ficar desprestigiada, reprograme-a para o dia seguinte. E lembre-se: quanto mais áreas da sua vida forem contempladas de segunda a sexta, mais feliz e realizado você será.

Entre em nosso site go.febracis.com.br/ferramentas-livro-12-principios, na área de ferramentas gratuitas. Lá você encontrará essa agenda da vida extraordinária. Baixe essa ferramenta para programar e planejar sua vida. Lembre-se: crianças e pessoas imaturas levam a vida de qualquer jeito, no estilo "deixa a vida me levar". Pessoas sábias planejam suas vidas, são designers do seu destino. Eu o convido a marcar um encontro com seu destino.

FELICIDADE SE CONQUISTA DE SEGUNDA A SEXTA

AGENDA DA VIDA EXTRAORDINÁRIA

NOME:

HORA	SEGUNDA-FEIRA	HORA	TERÇA-FEIRA	HORA	QUARTA-FEIRA	HORA	QUINTA-FEIRA	HORA	SEXTA-FEIRA	HORA	SÁBADO	HORA	DOMINGO

7
FAÇA COM EXCELÊNCIA

O sétimo passo para uma vida abundante é uma entrega extraordinária.

O que é uma entrega extraordinária? Inicia-se com o cumprimento da promessa de entregar o combinado. Porém, a melhor e mais verdadeira entrega extraordinária faz as pessoas dizerem os mais efusivos "Uau!", por meio de elogios, aplausos, reconhecimento e da expressão de encantamento.

Um trabalho focado, preciso, perfeito, voltado para resultados gera uma entrega extraordinária. Muitas pessoas erroneamente focam na realização da tarefa, mas uma tarefa bem-feita sem resultados é completamente inútil. Da mesma forma, um resultado adequado conquistado por uma tarefa malfeita pode custar muito caro.

Lembro-me do caso de uma funcionária que foi à minha sala para gravar um vídeo e perguntei: "O que você veio fazer aqui?". Ela respondeu: "Gravar um vídeo". Eu disse: "Não, não foi isso", e repeti a pergunta. Novamente ela disse: "Gravar um vídeo". Reiterei: "Não, não foi isso que você veio fazer aqui. Diga, o que você veio fazer aqui?". E ela disse: "Se não foi gravar um vídeo, não sei o que vim fazer". Pedi a ela que se sentasse para eu explicar o que é uma entrega extraordinária e a diferença entre tarefa e resultado.

Expliquei o que ela estava fazendo, por que gravar um vídeo era apenas a tarefa. O que ela, de fato, estava fazendo era garantir por meio da tarefa – o vídeo, nesse caso – que eu conquistasse mais autoridade e que as pessoas comprassem meus produtos. Assim, mais e mais pessoas teriam suas vidas transformadas.

Lembro-me também de outro momento no trabalho em que uma nova pessoa na equipe encaixotava CDs e DVDs para um de nossos eventos. A coordenadora viu e perguntou: "Por que você está fazendo isso?". Ela respondeu: "Estou encaixotando isso para mandar para o evento". E a coordenadora perguntou: "Para qual evento você mandará esse material?". E a funcionária disse: "O evento de São Paulo". A coordenadora esclareceu: "Olha, está muito bem-feito, mas para um evento local. Essa embalagem não funciona para um evento em São Paulo. O material irá para uma transportadora, passará dez dias dentro de um caminhão e, até chegar ao destino, tudo estará quebrado". Ela perguntou: "Como eu posso fazer a mesma tarefa, e uma vez estar certa e na outra vez estar errada?". E a coordenadora respondeu: "Você precisa olhar para o seu objetivo: fazer com que o produto chegue inteiro a São Paulo. Se o objetivo fosse chegar a outro bairro da nossa cidade, estaria certo, mas não se trata disso".

Assim, nós vemos como a mesma tarefa pode estar certa ou errada, dependendo do objetivo ao qual se destina.

Muitas pessoas se ressentem por não serem promovidas, por não crescerem profissionalmente. Elas se ressentem por não ganharem mais dinheiro, por não terem reconhecimento. E muitos dizem: "Quando eu for reconhecido, vou fazer o meu melhor. Quando eu for reconhecido, vou fazer mais", na verdade, acontece o contrário. Primeiro, eu faço mais e, depois, tenho reconhecimento. Eu faço mais para ser promovido.

E devo alertar aqui: o trabalho diligente que garante uma entrega extraordinária tem três aspectos. **O primeiro** é a quantidade produzida; **o segundo** é a qualidade com que você produz. Seja sincero, de 0 a 10, que

FAÇA COM EXCELÊNCIA

nota você dá para a qualidade com que você tem produzido? Você produz o melhor possível com seus recursos? Será que você dá seu melhor, produz seu melhor? Será que seu relatório, sua planilha, a informação produzida é o melhor que você pode fornecer? E aqui entra *o terceiro* aspecto: o resultado final. Ao olhar para a quantidade e para a qualidade do que foi produzido, o resultado esperado foi alcançado, a meta foi atingida?

Como falei, não adianta trabalhar com qualidade, fazer bem-feito e produzir muito se não gerar resultado final. Isso é maturidade profissional, é maturidade emocional. Vou contar uma história que exemplifica bem o que estou falando. Um funcionário com quinze anos de empresa, olha para o chefe e diz: "Estou aqui há quinze anos e não recebi promoção. Fulano, que está há dois anos, já foi promovido duas vezes. Isso não é justo comigo. Eu sou dedicado, sou trabalhador e não fui promovido". E o gestor respondeu: "Olha, eu entendo o que você está pleiteando: promoção, aumento, mas, antes de discutirmos isso, me faça um favor. Eu quero que você vá a monte Norte, na nossa plantação, e descubra o que está acontecendo, porque chegou até mim a informação de que madeireiros clandestinos estão roubando nossa madeira". O funcionário concordou.

Ele foi à plantação. Três horas depois, voltou com a informação. "Chefe, realmente estão roubando madeira no monte Norte. São madeireiros clandestinos e estão levando tudo o que conseguem levar". E o chefe disse: "Obrigado, mas essa informação eu já tinha. Fique aqui comigo". E chamou o fulano que foi promovido duas vezes em dois anos. "Fulano, eu soube que estão roubando madeira no monte Norte e quero que você descubra o que está acontecendo. Por favor, vá lá". E ele foi. Duas horas depois, retornou e disse: "Chefe, estão roubando madeira do monte Norte. Estão roubando em média 10 metros cúbicos de madeira por hora, o que corresponde a 50 árvores por dia. Estão escoando pelo rio AZ, eu já chamei a polícia federal e a polícia florestal. A madeira roubada está armazenada a 12 quilômetros daqui, em uma madeireira clandestina, e também pedi que a polícia cercasse lá. Está tudo resolvido, chefe".

Nesse momento, o funcionário antigo abaixa a cabeça. O chefe perguntou "Você está entendendo?". E ele respondeu: "Sim, estou". Envergonhado, saiu. E, mais uma vez, o novato foi promovido. Ele fez a tarefa com rapidez, bem-feita e focou no resultado: reaver o material, impedir o roubo. Enquanto o outro levou apenas informações, sem solução. Uma tarefa demorada, malfeita e sem resultado final.

Eu o convido a ser o profissional que faz a tarefa bem-feita, com rapidez, voltado para o resultado final, ou seja, aquele que **faz tudo com excelência**. Tenho certeza de que, agindo assim, você colherá bons frutos, suas entregas serão extraordinárias e você terá uma miríade de fãs ao seu redor. Agora, minha pergunta é: qual dos profissionais você é? Se você responder com sinceridade, entenderá por que está onde está e entenderá aonde poderá chegar na vida.

Parece óbvio, mas muitas pessoas fazem o trabalho de qualquer maneira. Olhe para você e para quem está ao seu redor e dê uma nota sincera, de 0 a 10, para a qualidade do que você produz ao longo do dia. E dê uma nota de 0 a 10 para a quantidade produzida. Responda-me sinceramente: quanto você poderia produzir a mais em qualidade e em quantidade? Essa pergunta é fundamental.

Olhe para si e responda: quanto tempo você perde diariamente, durante o expediente, em redes sociais? Quanto do seu foco é perdido em bobagens, quantos fatores o distraem ao longo do dia? E é sobre isso que estou falando: produtividade e trabalho diligente. Se fizermos uma pesquisa simples com as pessoas que conhecemos, constataremos que grande parte delas está produzindo apenas de 30% a 60% do que podem produzir.

EXERCÍCIO

Responda com sinceridade às perguntas a seguir:

1. Quanto tempo fico em redes sociais durante o expediente?
_____
_____

2. Quão dedicado eu sou em fazer um trabalho rápido e bem-feito?
_____
_____

3. Que medidas devo tomar para ser um profissional diligente, que realiza a tarefa rápida e bem-feita, focada no resultado?
_____
_____
_____
_____
_____

SATISFAÇÃO E GRATIDÃO:
DOIS PRÉ-REQUISITOS PARA UMA VIDA
EXTRAORDINÁRIA

Uma pessoa chegou até mim e disse ter ouvido de um escritor famoso que a base do sucesso era a insatisfação. Fiquei curioso e pedi que ela me explicasse. Ela disse que, quando uma pessoa está insatisfeita, busca mais, esforça-se mais e, assim, tem mais sucesso. Entendi o que ela queria dizer, mas me senti obrigado a discordar, para o bem dela. A insatisfação é um vício emocional, faz a pessoa continuar insatisfeita, independentemente do que conquistou ou vive. Pessoas insatisfeitas não conseguem manifestar gratidão e, por consequência, jamais experimentarão a verdadeira felicidade. Para conquistar seus sonhos e objetivos, deixarão outras áreas da vida de lado e, assim, terão motivos para continuar insatisfeitas.

A **satisfação é um pré-requisito para o sucesso**. É necessário estar satisfeito com o que sou, com o que faço e com o que tenho. É muito importante ter essa percepção porque, quando estou satisfeito, produzo o estado emocional e a vitalidade física necessários para criar resultados positivos. Com esse estado, vêm a autoaceitação e a autoconfiança, que me colocarão em uma posição de completa vantagem em relação às pessoas insatisfeitas.

Fique atento: pessoas insatisfeitas com o que são, com o que fazem, com o que têm estão sempre em desvantagem, repletas de sentimentos de inferioridade. Entretanto, estar satisfeito não significa estar

QUANDO ESTOU SATISFEITO, PRODUZO O ESTADO EMOCIONAL E A VITALIDADE FÍSICA NECESSÁRIOS PARA CRIAR RESULTADOS POSITIVOS.

SATISFAÇÃO E GRATIDÃO: DOIS PRÉ-REQUISITOS PARA UMA VIDA EXTRAORDINÁRIA

acomodado e não poder ser melhor, fazer mais e ter mais. Quando falo de estar satisfeito, eu me refiro a um estado de gratidão, independentemente do que faz ou do que possui. Já vi pessoas monetariamente ricas e insatisfeitas e, consequentemente, ingratas e infelizes. Também já vi pessoas com pouquíssimos recursos satisfeitas com o que têm, gratas e felizes.

Então, quero convidá-lo a estar satisfeito com o que tem e com a maneira como vive. Mais uma vez, não significa que você não pode almejar mais, buscar mais. Quando olhar para quem tem mais do que você, será apenas um referencial de possibilidade, não uma comparação direta; ninguém pode ser comparado a alguém, cada um de nós é único.

Quando olho para quem tem mais do que eu, digo: "Que legal! Se ela tem, eu também posso ter". E isso não me deixa insatisfeito, pelo contrário. Isso mostra que existem possibilidades e que eu também posso. Quando olho para alguém que faz algo tremendo, não me comparo a ele, mas vejo possibilidades; e, mais uma vez, isso não me impede de estar satisfeito com o meu desempenho atual. Então, se você quer ter sucesso e uma vida extraordinária, a combinação de satisfação e gratidão será uma estratégia poderosa e indispensável.

Para você entender o quanto eu levo a sério a satisfação e a gratidão como pré-requisitos para o sucesso, na minha empresa, Febracis, nós só contratamos pessoas gratas e satisfeitas. O motivo dessa busca desenfreada por colaboradores satisfeitos e gratos é a ciência[8] afirmar que pessoas gratas e satisfeitas são mais produtivas, mais felizes e mais constantes. E, assim como busco contratar pessoas com esse perfil, demito funcionários que manifestam insatisfação. Você pode me achar radical e

---

8 EMMONS, Robert A.; MCCULLOUGH, Michael E. *The psychology of gratitude.* Nova York: Oxford University Press, 2004.

ESTAR SATISFEITO NÃO SIGNIFICA ESTAR ACOMODADO E NÃO PODER SER MELHOR, FAZER MAIS E TER MAIS.

SATISFAÇÃO E GRATIDÃO: DOIS PRÉ-REQUISITOS PARA UMA VIDA EXTRAORDINÁRIA

intransigente, mas na Febracis o *turnover*[9] é muito baixo, a pontuação da pesquisa de clima é muito alta e as pessoas são felizes e produtivas.

Nós nos candidatamos a participar do programa Great Place to Work (GPTW), uma certificação internacional para as melhores empresas para se trabalhar. Na primeira tentativa, nos certificamos uma empresa GPTW, o que nos confere a condição de uma ótima empresa para se trabalhar.

Você deve estar se perguntando: sou grato e satisfeito? Para você se avaliar, apresento a seguir um exercício de autoavaliação. Ao responder, aconselho você a pedir ajuda a duas pessoas confiáveis, dispostas a falar a verdade sobre você.

EXERCÍCIO

Escreva que fichas caem em cada uma das áreas a seguir:

Profissional

_____
_____
_____

Amorosa/Conjugal

_____
_____
_____

Financeira

_____

---

[9] *Turnover* representa a rotatividade de pessoal em uma empresa. Está relacionada ao desligamento de funcionários e à entrada de outros para substituí-los.

PAULO VIEIRA

_____

_____

Emocional

_____

_____

_____

Marque na régua de autoavaliação sua pontuação em cada um dos itens, de -5 a +5.

Feliz	5 4 3 2 1 0 −1 −2 −3 −4 −5	Infeliz
Doadora	5 4 3 2 1 0 −1 −2 −3 −4 −5	Retentora
Otimista	5 4 3 2 1 0 −1 −2 −3 −4 −5	Pessimista
Esperançosa	5 4 3 2 1 0 −1 −2 −3 −4 −5	Desesperançosa
Sabe retribuir	5 4 3 2 1 0 −1 −2 −3 −4 −5	Apenas recebe
Produtiva	5 4 3 2 1 0 −1 −2 −3 −4 −5	Improdutiva
Abundante	5 4 3 2 1 0 −1 −2 −3 −4 −5	Escassa
Equilibrada	5 4 3 2 1 0 −1 −2 −3 −4 −5	Inconstante
Vencedora	5 4 3 2 1 0 −1 −2 −3 −4 −5	Vitimista

Acorde e agradeça a Deus pelo que você é, e até pelo que você não é, e esteja satisfeito com tudo. Tenha uma vida de satisfação, de contemplação do que você já conquistou.

Convido você a entender o fundamento da satisfação, do contentamento, da gratidão e da felicidade. Seja uma pessoa que, independentemente de onde está, é satisfeita, atrai coisas boas, fala coisas boas, dissemina coisas boas e, por consequência, cresce e prospera

SE VOCÊ QUER TER SUCESSO E UMA VIDA EXTRAORDINÁRIA, A COMBINAÇÃO DE SATISFAÇÃO E GRATIDÃO SERÁ UMA ESTRATÉGIA PODEROSA E INDISPENSÁVEL.

com naturalidade e fluidez. O insatisfeito atrai coisas e pessoas ruins, reclama, esbraveja, critica, vitima-se e naturalmente volta a cair, atraindo mais e mais coisas ruins.

Pessoas insatisfeitas não costumam ser autorresponsáveis e manifestar quatro vícios comportamentais e linguísticos relacionados a seguir:[10]

VÍCIO 1: Pessoas insatisfeitas são críticas – e não acredite em críticas construtivas. Quando alguém quer ajudar, não critica, sugere, orienta, dá ideias, busca soluções.

VÍCIO 2: O segundo vício comportamental é reclamar. Reclamar do colega, das condições de trabalho, do chefe, da empresa, do cônjuge, do governo. Sempre reclamar. Você já viu insatisfeito sem reclamar consistente e insistentemente de tudo e de todos?

VÍCIO 3: O terceiro vício é sempre buscar culpados, responsabilizar alguém pelo que não conquistou. Você gostaria de conviver com uma pessoa insatisfeita sempre a criticar, reclamar e buscar culpados ou mesmo estar perto de alguém assim?

VÍCIO 4: O quarto vício emocional é a vitimização, que não passa de uma estratégia de justificar suas falhas, evitar ser criticado e acusar os outros pelo que não realizou.

Agora, responda às Perguntas Poderosas de Sabedoria. O caminho que você trilhará, de sucesso e de prosperidade, depende das suas respostas.

---

10 Eu aprofundo esse conteúdo no curso Método CIS®, evento criado por mim e que se tornou o maior treinamento de inteligência emocional do mundo. Esse e outros temas são trazidos ao longo de três dias de imersão, em cinquenta horas de conteúdo. Mais de 500 mil pessoas já foram impactadas pelo curso.

SEJA UMA PESSOA QUE, INDEPENDENTEMENTE DE ONDE ESTÁ, É SATISFEITA, ATRAI COISAS BOAS, FALA COISAS BOAS, DISSEMINA COISAS BOAS E, POR CONSEQUÊNCIA, CRESCE E PROSPERA COM NATURALIDADE E FLUIDEZ.

EXERCÍCIO

1. A qual categoria você pertence: das pessoas satisfeitas, gratas e felizes ou das insatisfeitas, ingratas e infelizes? Das pessoas que têm o suficiente e agradecem por isso ou das pessoas que não têm e só reclamam?

_____
_____
_____
_____
_____

2. Liste pelo menos cinco coisas pelas quais você é grato.

1 _____
2 _____
3 _____
4 _____
5 _____

LEMBRE-SE: SER GRATO É PRÉ-REQUISITO PARA TER UMA VIDA EXTRAORDINÁRIA.

MENTE SUPERIOR

Para falar de sucesso, crescimento e progresso, preciso também falar de uma estratégia que uso desde 2008, não por acaso, o ano em que minha empresa começou a crescer extraordinariamente. Em 2011, apliquei de maneira ainda mais profunda e minha empresa continuou crescendo e passou a dobrar seu faturamento ano após ano. Com essa estratégia completei quatro meias maratonas, tornei-me investidor imobiliário de sucesso e filantropo.

Que estratégia é essa? Para responder, explicarei um comportamento fundamental para sua aplicação: **gerenciamento de toda a minha ignorância**. Isso mesmo: o meu maior e melhor comportamento de sucesso é reconhecer toda a minha ignorância; em outras palavras, aceitar quão pouco eu sei. Você deve estar se perguntando: você é o escritor que mais vende livros no Brasil[11] e se julga ignorante? Você é um sucesso como empresário e sabe pouco sobre *business*? Você é um sucesso nos investimentos imobiliários e sabe pouco sobre imóveis? Você dedica 22% da sua renda para filantropia e sabe pouco sobre como ajudar os necessitados? Minha resposta é SIM. De fato, sei muito pouco sobre tudo isso. Quando reconheço quão pouco sei sobre negócios, filantropia, imóveis, restam-me

---

11 De acordo com dados do PublishNews de agosto de 2019. Disponível em https://www.publishnews.com.br/ranking.

apenas duas alternativas: agir de maneira arrogante e autossuficiente e tomar decisões baseadas no que eu sei ou me cercar das pessoas certas. Veja bem: **das pessoas certas naquele aspecto específico**. Pessoas que sabem infinitamente mais do que eu nas suas áreas de conhecimento. Se você chegar ao meu escritório, em vez de encontrar uma mesa para mim e outras duas pessoas, como é o padrão, encontrará uma mesa com dezesseis lugares. Eu reservo esse espaço para pessoas melhores do que eu no que fazem.

Pessoas arrogantes, vaidosas, orgulhosas e autossuficientes não suportam a ideia de debater sobre um tema e serem as que menos sabem sobre aquilo. Para mim, esse ambiente é um verdadeiro paraíso. É onde me sinto melhor e onde tenho a certeza e a garantia do meu sucesso. Admito, nem sempre foi assim. Os treze anos de fracasso que tive em todas as áreas da vida aconteceram por eu acreditar não precisar de ajuda e ter todas as respostas. Chamo essa estratégia fracassada de autossuficiência, uma das manifestações da arrogância e da prepotência.

Talvez você não tenha percebido, mas, assim como existem estratégias de sucesso, existem estratégias de fracasso. Esses anos de fracasso na minha vida foram consequência do uso inconsciente dessa estratégia baseada na autossuficiência, e os últimos vinte anos de sucesso são consequência do aperfeiçoamento do gerenciamento de toda a minha ignorância.

Como coach com mais de 10.800 horas de sessões, posso afirmar que o motivo real e primário de todos os seus problemas é a incapacidade de tomar as decisões certas. E isso pode ser resolvido se você se cercar de pessoas melhores do que você naquele aspecto. Porém pouquíssimas pessoas reconhecem quão arrogantes e autossuficientes são. Na Febracis, hoje a maior instituição de coaching do mundo, com mais de mil funcionários, exércitos de consultorias garantem o crescimento e a rentabilidade em todas as

O MEU MAIOR E MELHOR COMPORTAMENTO DE SUCESSO É RECONHECER TODA A MINHA IGNORÂNCIA; EM OUTRAS PALAVRAS, ACEITAR QUÃO POUCO EU SEI SOBRE TODAS AS COISAS.

áreas. Tenho consultoria financeira, contábil, jurídica, tributária, pedagógica, de projetos, comercial, de marketing, tecnologia, gestão, liderança, implantação de softwares, investimentos imobiliários, investimentos financeiros. E você, que profissionais o orientam?

Você pode pensar que tenho essa equipe porque possuo muito dinheiro. A verdade é que tenho muito dinheiro porque há vinte anos me cerquei do maior número de pessoas certas que consegui. Talvez hoje você consiga se cercar de apenas uma pessoa melhor que você, uma pessoa capaz de orientá-lo e de dizer justamente o que você não gostaria de ouvir. Cerque-se dela e você crescerá. Depois, poderá se cercar de mais uma pessoa e crescer mais. Logo, terá um grupo de pessoas melhores que você naquele aspecto. Então, terá o que Napoleon Hill chama de **mente mestra**, uma "mente superior pode ser definida como a coordenação de conhecimentos, esforços, num espírito de harmonia entre duas ou mais pessoas para alcançar um propósito definido", definição presente no livro *Pense e Enriqueça*.

Formei a primeira mente mestra no final de 2007. Um grupo de amigos empresários, comprometidos com o próprio crescimento e em ajudar uns aos outros. Nesse período, partilhamos conhecimentos, ferramentas, estratégias, fornecedores, ideias e conselhos. Esse foi o meu primeiro grande salto de crescimento empresarial. Em 2009, montei minha primeira mente mestra de investimentos imobiliários, que dura até hoje. Fazem parte dela dois advogados, dois corretores, um engenheiro construtor e um amigo executivo de um grande grupo empresarial. Com essas pessoas, vejo meu patrimônio imobiliário dobrar ano após ano. Depois desse time imobiliário entrar na minha vida, podemos ousar mais, comprar terrenos mais baratos, vendê-los pelo melhor preço, lançar grandes loteamentos, comprar imóveis em leilão com acompanhamento jurídico na documentação. Vendemos para as pessoas certas, na hora certa e da maneira certa.

A VERDADE É QUE
EU CONQUISTEI
TODA A MINHA RIQUEZA
PORQUE HÁ VINTE ANOS
EU ME CERQUEI DO
MAIOR NÚMERO
DE PESSOAS CERTAS
QUE CONSEGUI.

Hoje, com todos esses grupos de mente mestra, conquistamos coisas grandiosas em um curto espaço de tempo, um volume financeiro, lucro e dividendos muito, muito maiores do que se eu estivesse sozinho. Preciso reconhecer: sou limitado e não me envergonho disso. Há algum tempo, meu sogro orgulhoso olhou para mim e disse: "Você é um aprendiz. Você lê muito, assiste a vários vídeos, tem aulas particulares, faz cursos fora do Brasil". E eu, com todo respeito, disse: "O aprendiz é minha menor porção. Eu sou um grande ignorante. Aquele cara que sabe muito pouco". Sem entender, ele disse: "Como assim?". Você, que está lendo este livro, entendeu o que eu quis dizer.

Quero convidá-lo a pensar na sua mente superior. Talvez não em uma, mas em várias áreas da sua vida. Mesmo quando se trata de saúde, tenho minha mente superior composta de um amigo especialista em maratona; meu *personal trainer*, que fortalece minha musculatura; minha nutricionista e meu fisioterapeuta. Eles me orientam, estimulam, direcionam, disciplinam, agregam à minha força de vontade e me permitem ter muito mais acertos do que erros.

Agora, seu desafio é montar mentes mestras, grupos de pessoas para auxiliar no atingimento de metas e de resolução de problemas. Siga esse passo a passo para montar seu grupo.

PASSO 1: Escreva qual é o objetivo ou o problema a ser resolvido.

_____
_____
_____

PASSO 2: Faça uma lista de 21 pessoas melhores do que você e capazes de ajudá-lo a resolver o problema ou atingir o objetivo.

PASSO 3: Cite conhecimentos e habilidades que você possui para contribuir no grupo a ser formado.

_____
_____
_____

PASSO 4: Estabeleça uma data para convidar pessoas a integrar cada um dos grupos.

_____
_____
_____

PASSO 5: Marque reuniões quinzenais ou mensais. Todos precisam contribuir com o grupo e crescer individualmente em cada reunião.

PASSO 6: Depois de cada reunião, anote as ideias que você recebeu e as que você deu.

_____
_____
_____

10
CRIE VALOR PESSOAL

Este é o **décimo passo** para uma vida extraordinária: **saber criar valor pessoal**.

E a primeira pergunta que eu tenho para você é: quanto você vale? Sim, quanto você vale não para si próprio, mas para outras pessoas. Quanto você vale para seus filhos? Quanto vale para sua esposa? Quanto vale na empresa, para seus clientes, para os seus fornecedores? Qual é o seu valor?

Meu avô me ensinou algo muito forte quando eu era criança: "Meu filho, uma pessoa vale pelo bem que pode fazer e pelo mal que pode fazer". Isso parece verdade, mas, como sou uma pessoa do bem e acredito que você também é, nós não valemos pelo mal que podemos fazer, mas pelo bem que podemos fazer às pessoas. Nesse contexto, quero falar sobre como criar valor pessoal, como valer infinitamente mais.

Essa é a técnica. Vejo pais saírem de casa e a vida dos filhos não muda nada. Vejo casamentos se romperem e o casal não sofre nada. Vejo maridos, pais, morarem no outro lado do mundo e a família continua do mesmo jeito. Vejo líderes saírem da empresa e a empresa continuar e melhorar. Vejo chefes e gerentes não fazerem falta, e sabe por quê? Porque não têm valor pessoal, não agregam. Valor pessoal é quanto você realmente vale, quanto as pessoas pagariam por mim enquanto líder, enquanto coach, enquanto gestor.

Se eu pudesse monetizar minha paternidade ou meu lado conjugal, quanto minha esposa pagaria por mim? Quanto meus filhos pagariam por mim? Então, quero ensinar como criar esse valor pessoal, como se tornar uma pessoa importante, para que as pessoas ao seu lado valorizem sua presença, que a empresa pague para tê-lo como gerente, como funcionário. Da mesma forma, seus filhos, cônjuge, familiares e amigos farão tudo para ter você ao lado deles. E que seus amigos façam tudo para ter você ao lado deles. Isso é ser uma pessoa cara.

PRIMEIRO PASSO: Você precisa ser exclusivo e diferente. Tenha medo de ser igual à massa, seja diferente da maioria das pessoas, porque a maioria optou por ter uma vida mediana. Afaste-se das massas: a massa dos pais, a massa dos funcionários, a massa dos professores, a massa dos gerentes, a massa das mães... Seja completamente diferente das massas. Como é a massa dos profissionais da sua área? Perceba como eles se comportam, como eles agem. Talvez estejam perdidos, ganhando pouco, fazendo pouco, reclamando da vida. Se você quer ter sucesso, seja diferente da massa, olhe como eles falam, observe o que eles dizem. E seja diferente.

Se você quer ter sucesso como pai, seja um pai diferente da maioria dos pais. Observe como a maioria dos pais age e fala com seus filhos e faça completamente diferente. Olhe os maridos, como a maioria dos maridos trata a esposa? A maioria trai, paquera, desrespeita, é grosseira. Faça diferente e comece a se diferenciar e as pessoas notarão que existe algo diferente ali, olharão para você enquanto pai, enquanto funcionário, enquanto gerente, enquanto motorista, enquanto executivo, enquanto aluno e verão que você é diferente. Quando vejo alunos de graduação, pós-graduação, mestrado e doutorado na sala de aula, a primeira

SE EU PUDESSE
MONETIZAR MINHA
PATERNIDADE
OU MEU LADO
CONJUGAL, QUANTO
MINHA ESPOSA
PAGARIA POR MIM?
QUANTO MEUS FILHOS
PAGARIAM POR MIM?

coisa que pergunto a eles é se realmente querem uma carreira acadêmica de sucesso. E digo: "Sejam diferentes dos outros alunos". Faça diferente, você precisa ser visto, ser notado. Se fizer exatamente o que todos os alunos fazem, você será mais um. Se você é um pai como todos, será mais um. Se é um gerente igual à maioria, será apenas mais um.

O primeiro passo é fazer completamente diferente. E eu digo mais uma coisa: sabe para onde a massa está indo? Para o abatedouro, como gado, sendo tangida pelas informações que chegam. E, sem perceber, entra em um curral, seguindo a manada. Seja diferente e saia desse curral, distancie-se dessa manada. Você não precisa beber apenas porque muitos homens bebem. Seja diferente.

1. **Sinceramente, você busca ser diferente da massa?**
   _____

2. **No que você se difere da massa? Como cônjuge, como pai/mãe, como profissional, como filho etc.**
   _____
   _____

SEGUNDO PASSO: O segundo passo é servir ao maior número de pessoas de maneira impactante. Realmente fazer diferença na vida dessas pessoas. Por que a Apple se tornou uma das maiores e mais lucrativas empresas do mundo? Porque quando Steve Jobs criou o iPhone, criou uma maneira de servir milhões e milhões de pessoas, conectando-as e satisfazendo necessidades que elas sequer sabiam ter. Veja bem, Steve Jobs e a Apple impactaram profundamente o mundo

OBSERVE COMO A MAIORIA DOS PAIS, DOS MARIDOS, DOS PROFESSORES, DOS GERENTES FAZEM, E SEJA DIAMETRALMENTE OPOSTO. FAÇA DIFERENTE E COMECE A SE DIFERENCIAR, E AS PESSOAS NOTARÃO QUE EXISTE ALGO DIFERENTE ALI.

PAULO VIEIRA

inteiro, e por isso a Apple se tornou a primeira empresa a atingir o valor de 1 trilhão de dólares. Quando eu olho para mim e para o Método CIS® é fácil entender por que a Febracis dobra de faturamento e de tamanho ano após ano. Primeiro, porque transformamos a vida de pessoas, e segundo, porque fazemos isso com milhares de pessoas. Então, para uma pessoa ou uma empresa terem valor, é preciso causar impacto e benefícios ao maior número de pessoas.

1. **Quanto você está comprometido em servir às pessoas que o rodeiam?**

2. **Quantas pessoas você consegue servir nas suas redes de relacionamento?**

TERCEIRO PASSO: O terceiro passo não é apenas causar impacto, mas o maior impacto positivo possível. Como fazer isso? Como o professor da faculdade pode efetivamente causar um impacto suficiente na vida de seus alunos e gerar transformação? Certa vez, vi um professor que, além de ser um bom professor, transformou a vida de alunos com sua didática, seu empenho e seu amor. Estudantes que não queriam absolutamente nada chegaram aonde jamais imaginaram chegar. O mesmo acontece com pais que, em meio a toda adversidade, produzem filhos que são verdadeiros campeões. Ao longo da minha carreira, vi profissionais crescerem vertiginosamente não pelo seu currículo acadêmico, mas pelo compromisso inabalável em gerar grandes resultados.

Quando me refiro a um grande impacto, quero dizer surpreender, ir além, dar às pessoas o que elas não esperavam, criando assim memórias positivas que se tornarão sentimentos de gratidão. E acredite, toda pessoa grata fará de tudo para retribuir. Isso se chama reciprocidade, um pressuposto de todas as pessoas normais.

1. Quanto você tem buscado surpreender positivamente as pessoas ao seu redor?

_____

2. Quem foi a última pessoa que você surpreendeu positivamente?

_____

QUARTO PASSO: O quarto passo é produzir benefícios duradouros. Minha ação de impactar precisa ser verdadeira, de coração, genuína, e o benefício deve continuar por muito tempo. Pessoas e empresas que geram benefícios fugazes, passageiros, não conseguem criar valor. Pessoas impactadas profundamente por suas ações formarão um verdadeiro exército de fãs, agregando valor e importância a você.

Quando faço um vídeo ou escrevo um livro, eu me empenho além do meu limite para levar transformação, ganhos, mudança ao meu público. Minha busca e meu esforço são voltados para gerar um grande impacto que mude gerações. Não busco uma motivação fugaz, que passe rapidamente. Para estar satisfeito e realizado, procuro levar mudança para sua casa, para sua família, para sua maneira de trabalhar, ganhos grandes, irrestritos e duradouros.

Muitas pessoas buscam sucesso por caminhos tortuosos, sacrificantes ou mesmo imorais e antiéticos. Para ter sucesso, é preciso entregar

PAULO VIEIRA

algo de valor ao maior número de pessoas, algo que realmente transforme vidas e que gere benefícios extraordinários e duradouros. Esse é meu convite para você. Leve sua empresa ou sua carreira ao mais alto nível de valor.

1. Quando você fornece algo está atento à qualidade do benefício?
___

2. O que você pode fazer para gerar benefícios impactantes e duradouros por onde passar?
___
___
___

EXERCÍCIO
Escreva ações para gerar impacto significativo e duradouro nas seguintes áreas:

Matrimonial
___
___
___
___

Familiar
___
___

CRIE VALOR PESSOAL

Profissional

11
TENHA MAIS FOCO E PERSISTÊNCIA

Foco e persistência são comportamentos irmãos, e ambos levarão você à ação e à realização. Persistir e continuar ao longo do caminho e diante das adversidades é e sempre será a principal característica dos homens e mulheres que venceram na vida. Estudando clientes de sucesso e lendo biografias de grandes realizadores, vejo que aqueles que persistiram em meio às maiores adversidades tornaram-se também as pessoas de maior sucesso.

Quando escrevi meu primeiro livro, *Eu, líder eficaz*, minha família se reuniu para me convencer a não publicá-lo. Ouvi coisas como "Quem é você para escrever um livro? Se você escrever esse livro agora, começando sua nova vida, destruirá sua carreira inteira. O que você sabe para escrever um livro? Você não pode publicar esse livro, será um fracasso". Isso aconteceu em julho de 2003, no início da minha nova vida e da minha carreira de coach e consultor empresarial.

Naquele momento, eu tinha todos os motivos para desistir. Fui atacado pelo medo, pelo sentimento de incapacidade, pela insegurança, pela dúvida. Foram dois dias de lágrimas e também da mais firme decisão de não desistir, de não parar no meio do caminho. Nesses dias de dor e de dúvida, revisei e reli todo o livro, mudei tudo que poderia ser mudado e acrescentei tudo que poderia ser acrescido. Publiquei-o e, imediatamente, teve uma grande aceitação e recebi muitos depoimentos de pessoas

FOCO E PERSISTÊNCIA SÃO COMPORTAMENTOS IRMÃOS, E AMBOS LEVARÃO VOCÊ À AÇÃO E À REALIZAÇÃO.

TENHA MAIS FOCO E PERSISTÊNCIA

que mudaram ao lê-lo. Além disso, graças ao meu primeiro livro, hoje sou um dos escritores que mais vendem livros no Brasil.

E me pergunto: e se eu tivesse desistido? E se não tivesse publicado esse livro? E se tivesse ouvido à minha família, onde estaria minha vida hoje? Por causa desse livro, estive várias vezes no programa da Ana Maria Braga, participei do programa da Fátima Bernardes e me tornei referência nacional em alta performance e transformação humana.

E aí vem a pergunta: "Como alguém pode ter sucesso se desistir na primeira ou na segunda adversidade?". Aprendi com a pastora Nilza Munguba uma frase que mudou minha vida e me motivou a publicar minha primeira obra literária. "Quem para no meio do caminho não chega a lugar nenhum." De fato, se você quer realizar algo de valor, se quer conquistar algo do que se orgulhar, se quer deixar um legado, você terá de continuar caminhando. Você terá de se levantar depois da primeira, da segunda e da terceira queda e continuar caminhando. Precisará estar disposto a trilhar a jornada e a manter foco no objetivo.

Pouquíssimas pessoas têm o privilégio de fracassar e poder aprender com seus erros. A maioria desiste antes de fracassar. Pessoas desistem de casamentos. Pessoas desistem de carreiras. Pessoas desistem de sonhos. Pessoas desistem de si. Você pode me perguntar: "Paulo Vieira, qual é a fórmula para não desistir?". Não existe uma explicação simples e única para isso; são muitos caminhos, mas uma coisa é certa: grande parte das pessoas para no meio do caminho porque suas crenças de merecimento e identidade não estão adequadas. E essas crenças limitantes nos expõem e fragilizam diante de todo tipo de distração. Distração é tudo aquilo que tira o foco do meu objetivo. O que o distrai e tira seu foco? São as redes sociais? Ou os seriados na televisão? Brincadeiras, bebidas, pornografia? O que tira o

COMO ALGUÉM PODE TER SUCESSO SE DESISTIR NA PRIMEIRA OU NA SEGUNDA ADVERSIDADE?

seu foco? Jogos de internet? Amizades sem futuro? Baladas sem limite? Como você sabe, o ser humano tende à realização. E, se você não está realizando com qualidade e quantidade, algo o está impedindo, provavelmente as distrações. E, mais uma vez, eu pergunto: "O que tira seu foco e o impede de ter sucesso?".

Tem poder quem age. Então, se você quer ter poder, aja, realize, execute. Não importa se está agindo certo ou errado, o importante é continuar agindo. Se acertar, colherá os frutos. Se errar, colherá o aprendizado, afinal, pessoas sábias aprendem com os erros. Com mais conhecimento, poderá agir na direção certa.

Passei por uma fase em que a televisão me distraía e tirava o foco dos meus objetivos. Na época, eu já era seletivo e não assistia à programação da televisão aberta. Depois de minha esposa dormir, eu assistia a um filme para relaxar de um dia estressante. O filme começava às onze horas da noite e acabava à uma hora da manhã. Depois, começava o jornal da madrugada, e, às vezes, mais um filme. Com esse estilo de vida, eu parei de ler a Bíblia como costumava ler. Não fazia sexo como eu costumava fazer. Acordava tarde e não me exercitava. Trabalhava cansado, produzia muito menos. Ou seja, uma única coisa tirava meu foco dos objetivos. Graças a Deus, consegui me libertar completamente e restaurar minha vida, minha jornada e meus objetivos. Penso onde estaria hoje se não tivesse eliminado esse hábito. E, na verdade, tenho a resposta: meu casamento teria acabado, eu seria obeso, não teria a família linda que tenho, também não teria sucesso profissional e financeiro. Em outras palavras, minha vida seria um desastre.

POUQUÍSSIMAS PESSOAS TÊM O PRIVILÉGIO DE FRACASSAR E APRENDER COM SEUS ERROS.

AUTOCONFIANÇA, ESTRATÉGIA DE FOCO E REALIZAÇÃO

Nada garante mais autoconfiança do que realizar. Não importa se você realiza pequenas ou grandes coisas. O importante é realizar algo. O estilo de vida dos realizadores começa com realização de pequenos objetivos e progride para objetivos cada vez maiores até chegar a realizações grandiosas. É importante entender que a capacidade de realização se constrói passo a passo. Cada realização deve ser seguida de grande comemoração. Por exemplo, se você não costuma ler um livro até o final, comece pelo menor livro, finalize e celebre, comemore, alegre-se, compartilhe com quem você ama: "Eu acabei de ler um livro". E isso é realização. Em breve, você lerá um livro maior. A cada realização, suas crenças de identidade, de capacidade e de merecimento são alteradas, refeitas e ampliadas.

Primeiro, realize pequenas coisas e se habitue a isso. Em seguida, realize coisas um pouco maiores e se habitue também a isso. Então, não queira fazer uma maratona de 42 quilômetros ou uma meia maratona de 21 quilômetros se você ainda não corre 5 quilômetros. Comece com o primeiro quilômetro e, ao conseguir, comemore seu êxito. Percorra o segundo, o terceiro quilômetro, e comemore, celebre cada pequena conquista. Siga para o quinto, para o sexto, para o décimo, e celebre. No décimo quinto, celebre mais intensamente. Se você não consegue avançar e progredir, olhe para seu estilo de vida e descubra o que tira o foco dos seus objetivos e o que o distrai diariamente, seja o que for, elimine da sua vida. São alguns amigos que o interrompem, que o atrapalham, que o seduzem com prazer imediato? Mude suas amizades e volte-se para o seu objetivo, que é a meia maratona de 21 quilômetros. Ok, então, já que não há mais nada o atrapalhando, você está pronto para correr a meia maratona.

É IMPORTANTE ENTENDER QUE A CAPACIDADE DE REALIZAÇÃO SE CONSTRÓI PASSO A PASSO.

À medida que realizamos tarefas e conquistamos nossos objetivos, mesmo os menores, alteramos nossas crenças. Como costumo dizer, nós nos tornamos o que realizamos. Porém fique atento: a celebração depois de cada realização e conquista é fundamental para a construção das suas crenças positivas. Acredite: depois terminar uma corrida de 10 quilômetros, você será alguém diferente. Suas crenças de identidade serão diferentes e você se verá como um vitorioso. Sua crença de capacidade será expandida e você se verá capaz desse nível de realização.

Não se cobre grandes realizações; cobre-se agir e agir cada vez mais certo e na velocidade certa. Use a estratégia das pequenas e grandes realizações, viva-as. E se torne uma pessoa melhor a cada realização.

EXERCÍCIO

PASSO 1: Que distrações tiram seu foco? Anote os 5 itens que tiram o foco dos seus objetivos e das tarefas para realizá-los.

_____
_____
_____
_____
_____

PASSO 2: Que prejuízos cada uma dessas distrações causa?

_____
_____
_____
_____

À MEDIDA QUE REALIZAMOS TAREFAS E CONQUISTAMOS NOSSOS OBJETIVOS, MESMO OS MENORES, ALTERAMOS NOSSAS CRENÇAS. COMO COSTUMO DIZER, NÓS NOS TORNAMOS O QUE REALIZAMOS.

TENHA MAIS FOCO E PERSISTÊNCIA

PASSO 3: Liste as ações que você precisa tirar do papel para cada objetivo. (Lembre-se de que quanto mais ações você tiver, mais próximo estará da sua meta. Além disso, escreva uma data para cada realização.)

_____
_____
_____
_____
_____

12

VIDA ABUNDANTE

O **décimo segundo passo** para uma vida extraordinária é **entender o que significa felicidade** dentro do paradigma da Febracis, o Coaching Integral Sistêmico®. Para isso, precisamos redefinir o significado da palavra "sucesso". Quando pergunto para as pessoas o que elas entendem por sucesso, recebo uma resposta pronta. "Sucesso é ser feliz." "Legal", respondo. "Mas me diga: o que é ser feliz para você?" "Ser feliz é ter dinheiro e crescimento profissional." De fato, ter dinheiro e êxito profissional compõe o sucesso do indivíduo. No entanto, sucesso verdadeiro vai além de dinheiro e de carreira profissional. O verdadeiro sucesso é a somatória de todas as áreas da vida de uma pessoa, passando pelas áreas financeira e profissional, mas também pelas áreas amorosa, social, da saúde, familiar, parental, emocional, espiritual e intelectual.

Com frequência ouço a máxima: "Sorte no jogo, azar no amor". Essa frase é cruel, mentirosa e tenta nos convencer de que as pessoas não podem ser verdadeiramente plenas e felizes. Ela diz que temos de aceitar prosperarmos em algumas áreas e naufragarmos em outras. Isso não é verdade. Podemos, sim, com foco, paciência, determinação e sabedoria construir uma vida plena em todas as áreas. Talvez não seja rápido nem simples, mas é possível com toda certeza. Quando falo de vida plena, não quero dizer uma vida sem problemas, mas uma vida de aprendizado, crescimento e construção.

É muito comum pessoas terem um casamento destruído, filhos machucados, familiares distantes, emoções desalinhadas e dizerem que suas vidas estão ótimas. Dizem isso porque decidem não olhar para todos os problemas e escolhem hipervalorizar as poucas áreas positivas em sua vida. Muitas pessoas dizem: "Eu sou muito feliz". E, quando faço perguntas como "Me diga, o que está tão bom na sua vida?", rapidamente, respondem: "Eu ganho muito bem". Então, digo: "Que legal, que bom. E como está sua família?". "Meu pai está bem, mas não conversamos muito. Moramos na mesma casa, não nos conectamos, mas não brigamos. E, como estou ganhando dinheiro, logo vou sair de casa. Sou muito feliz." E então eu digo: "Que legal, como está sua saúde?". E a pessoa responde: "Estou uns vinte quilos acima do peso, mas estou bem". Ao aprofundar, fazendo mais Perguntas Poderosas de Sabedoria, questionando, indagando, querendo esclarecer seus sentimentos e a real situação da sua vida, essa pessoa chora, abraçada comigo. E diz: "As únicas áreas que estão boas na minha vida são a financeira e o meu trabalho, o resto está horrível".

As pessoas tendem a olhar para o que está bom e se fartar nessa área, esquecendo o que precisa ser trabalhado, e se dizem felizes. Chamo isso de vida partida. É comum pessoas que têm uma saúde invejável, como corredores, atletas, triatletas, divulgarem em suas redes sociais imagens extraordinariamente belas, que mostram como são bons atletas. No entanto, se alguém olhar as outras áreas da vida dessas pessoas, verá grandes inconsistências e áreas inteiras com problemas. Como está o casamento desse atleta, que acorda às 4h30 da manhã e dorme às 21h para conseguir treinar? Como está sua vida profissional? Como estão seus filhos? Será que ele é feliz? Ou será que espera ser verdadeiramente feliz apenas com a área do esporte? Nós sabemos

QUANDO FALO DE VIDA PLENA, NÃO QUERO DIZER UMA VIDA SEM PROBLEMAS, MAS UMA VIDA DE APRENDIZADO, DE CRESCIMENTO E DE CONSTRUÇÃO.

AS PESSOAS
TENDEM A OLHAR
PARA O QUE ESTÁ BOM
E SE FARTAR NESSA
ÁREA, ESQUECENDO
O QUE PRECISA
SER TRABALHADO,
E SE DIZEM FELIZES.
EU CHAMO ISSO DE
VIDA PARTIDA.

que plenitude e vida abundante acontecem quando todas as áreas da vida são prestigiadas e trabalhadas vigorosamente. Não há área mais importante. Todas as áreas estão ligadas entre si e, se uma cai, em pouco tempo as outras cairão.

Conheci um homem que tinha uma vida bem equilibrada até seu casamento entrar em crise. Com o divórcio iminente, suas emoções começaram a se deteriorar. Debilitado emocionalmente, sua produtividade no trabalho declinou, suas comissões diminuíram e as contas atrasaram. Nesse contexto, estressado com o casamento, com contas atrasadas, com metas não batidas e com filhos rebeldes, ele se envolveu em um acidente de trânsito. Quando voltou para casa, depois de três meses internado no hospital, não encontrou sua esposa e seus filhos.

E, a partir disso, o que estava ruim piorou. Acometido por uma forte depressão, completamente impossibilitado de trabalhar, viu todas as áreas da sua vida minguarem ao mesmo tempo. Esse caso é apenas a demonstração de que todas as áreas da nossa vida estão interligadas e conectadas entre si. É possível perceber que a felicidade é um todo, e não parte, e também que, quando uma área não está bem, tende a danificar outras áreas da vida. Por isso, devemos zelar, cuidar e estar atentos a todas as áreas da vida.

Agora, eu o convido a assistir a um vídeo[12] explicativo para você avaliar como está sua vida usando a ferramenta a seguir.

---

12 Para acessar ao vídeo, entre no link: gc.febracis.com.br/ferramentas-livro-12-principios.

PLENITUDE E VIDA ABUNDANTE ACONTECEM QUANDO TODAS AS ÁREAS DA VIDA SÃO PRESTIGIADAS E TRABALHADAS VIGOROSAMENTE. NÃO HÁ ÁREA MAIS IMPORTANTE. TODAS AS ÁREAS ESTÃO LIGADAS ENTRE SI E, SE UMA DELAS CAI, EM POUCO TEMPO AS OUTRAS CAIRÃO.

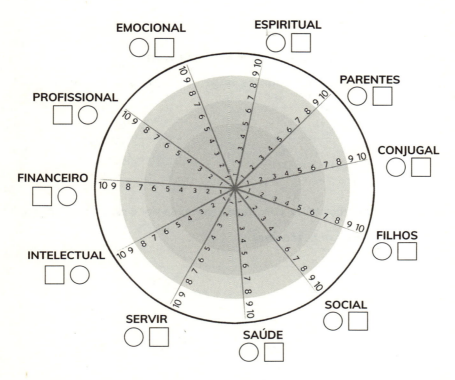

Olhando para a ferramenta Mapa de Auto Avaliação Sistêmica (MAAS), diga-me: sinceramente, você está feliz com a vida que tem levado? Que áreas da sua vida estão realmente plenas, equilibradas e abundantes? E quais não estão como você gostaria? Você tem zelado e cuidado individualmente de cada uma das áreas da sua vida? Ou tem se fartado em uma ou outra área, deixando que as demais apodreçam por falta de cuidado e de empenho? Trago boas notícias: existem técnicas e ferramentas para que você cuide e construa simultaneamente todas as áreas da sua vida. Acesse o QR Code abaixo e veja todas as ferramentas disponíveis:

PAULO VIEIRA

EXERCÍCIO 1

A partir do MAAS que você preencheu, responda:

1. Quais são as duas áreas às quais você precisa dar maior foco neste momento?
   _____
   _____

2. O que pode acontecer com essas áreas se você não der a atenção e os cuidados necessários?
   _____
   _____

3. O que o impede de mudar essas áreas?
   _____

EXERCÍCIO 2

Este exercício se baseia no poder do foco e da ação concentrada. Nós acreditamos que grande parte dos nossos problemas é causada por poucas coisas. Assim, se pudermos resolver essas pequenas coisas, eliminaremos grande parte dos nossos problemas. O exercício a seguir é uma ferramenta poderosa do Coaching Integral Sistêmico® e o ajudará a identificar e executar as ações mais importantes para restaurar a sua vida.

PASSO 1: De acordo com as áreas identificadas no exercício da página 64 no capítulo 4, liste as ações que transformariam cada uma delas. Se existisse apenas uma coisa a ser feita em cada uma das áreas, a coisa absolutamente mais importante, aquela que resolveria e transformaria aquela área da sua vida, o que seria? Relacione uma ação ultraimportante para cada uma das três áreas da vida listadas.

ÁREA 1
_____

AÇÃO
_____
_____
_____

ÁREA 2
_____

AÇÃO
_____
_____
_____

ÁREA 3
_____

AÇÃO
_____
_____
_____

MENSAGEM FINAL

Sua jornada está apenas começando. Coloque em prática esses 12 passos e você será capaz de mudar completamente sua vida. Há poder na ação, por isso não espere que a mudança venha de fora; seja a mudança e veja o impacto que isso terá em tudo e em todos ao seu redor.

A partir de agora, você está preparado para percorrer labirintos desafiadores e colher recompensas tremendas. Se necessário, entre em labirintos menores, pois neles você estará treinando para superar os maiores e, para ter sucesso nessa caminhada, você precisa deixar para trás historinhas e justificativas. Você precisa aprender com seus erros, pois é você quem constrói sua sorte e você é o único responsável por sua felicidade.

E quando superar os labirintos, celebre essas conquistas. Não espere pela maior conquista para poder comemorar, celebre cada acerto! E, mais que tudo, seja grato. Agradeça por estar vivo, por ter a capacidade de mudar sua vida. Com foco e persistência, você conseguirá alcançar uma vida abundante e próspera. Eu acredito verdadeiramente nisso.

E eu encontro você na comunidade de pessoas que realizam grandes coisas, que superam os maiores desafios e deixam um legado para esse mundo, tornando-o um lugar muito melhor onde viver.

Um grande abraço!

PAULO VIEIRA

LEIA TAMBÉM

O PODER DA AÇÃO

Já aconteceu a você de se olhar no espelho e não gostar daqueles quilos a mais? De observar seu momento profissional somente com frustração? De se sentir desconectado dos seus familiares, dos seus amigos? Se você acha que essas são situações normais, pense de novo! Paulo Vieira lhe convida a quebrar o círculo vicioso e iniciar um caminho de realização. Para isso, apresenta o método responsável por impactar milhões de pessoas ao longo de sua carreira – e que pode ser a chave para o que você tanto procura.

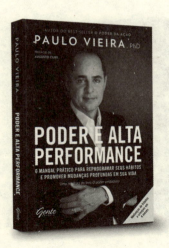

PODER E ALTA PERFORMANCE

Ter uma vida melhor e ser bem-sucedido na vida pessoal e, ao mesmo tempo, na profissional é perfeitamente possível. No entanto, como fazer isso é a questão que aflige muitas pessoas, pois é difícil pôr as estratégias em prática. Com o objetivo de promover mudanças rápidas, profundas e permanentes no ser humano, Paulo Vieira oferece neste livro as ferramentas fundamentais para que o leitor tenha uma vida plena e assuma o controle do seu destino, tonando-se tudo aquilo para o que ele foi criado. Baseado no Método CIS®, maior treinamento de inteligência emocional do mundo, *Poder e alta performance* traz um texto simples e fluente, rico em exercícios, exemplos e casos reais.

FOCO NA PRÁTICA

Este workbook tem o objetivo de mantê-lo no caminho das realizações durante 60 dias. Esse é o tempo garantido para a completa mudança de hábitos e atitudes. E também é a garantia de que seus projetos e sonhos engavetados sejam realizados. Por meio de frases inspiradoras, da metodologia do Coaching Integral Sistêmico®, de exercícios diários e de ferramentas exclusivas da Febracis, você se manterá focado nas suas metas, reflexões, decisões e hábitos produtivos durante dois meses, sempre buscando se tornar uma pessoa melhor e mais realizada em todas as áreas da vida.

O PODER DA AUTORRESPONSABILIDADE

Muitas pessoas têm consciência de que precisam assumir as rédeas da própria vida, porém não sabem como fazer isso na prática. Este livro traz ao leitor o conceito de autorresponsabilidade.

Trata-se de um manual que apresenta a metodologia das 6 leis para a conquista da autorresponsabilidade, de modo que o leitor assuma o comando de sua vida. Aplicando esse conceito, você será capaz de levar alta performance à vida pessoal e profissional, saindo de um estado não satisfatório para uma vida de abundância e de sucesso.

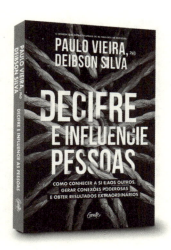

DECIFRE E INFLUENCIE PESSOAS

Na liderança empresarial ou na educação dos filhos, no casamento ou na seleção de funcionários, o fato é que todos nós temos algum motivo pelo qual queremos decifrar e entender o outro. Este livro é a oportunidade para conhecer ferramentas que desvendam o perfil de cada indivíduo, ajudando você a descobrir, desenvolver e aproveitar o potencial máximo de todos aqueles que o cercam. Você aprenderá como decifrar as pessoas analisando as características delas, quais são seus valores e o que é realmente importante em sua vida.

CRIAÇÃO DE RIQUEZA

Para Paulo Vieira a verdadeira riqueza é aquela que combina as três dimensões humanas: o ser (a identidade), o fazer (a capacidade) e o ter (o merecimento). Mas como isso funciona na prática? Depois de anos estudando o comportamento financeiro de seus clientes, o autor descobriu as quatro variáveis que influenciam e determinam a capacidade de enriquecimento do indivíduo, chegando a uma equação matemática denominada Fator de Enriquecimento®. Conheça essa nova metodologia e encontre as bases para criar a sua própria equação da riqueza!

O PODER DA AÇÃO PARA CRIANÇAS

Turma da Mônica e Paulo Vieira se reúnem no bairro do Limoeiro para ensinar pais, mães e crianças sobre autorresponsabilidade! Mais de 40 milhões de pessoas já conhecem Paulo Vieira e tiveram sua vidas transformadas pelos ensinamentos dele. Agora, ele pediu a ajuda da turminha mais famosa do Brasil para mostrar a todas as crianças que a vida pode e deve ser incrível, completa e cheia de conquistas! A chave para isso é formada por três conceitos importantes: a autorresponsabilidade, a gratidão e o foco. Mônica, Cascão, Magali, Cebolinha e outros moradores do bairro já aprenderam como usar essas três palavras no dia a dia e convidam você a fazer o mesmo, acompanhado de muita diversão e amizade.

ESTE LIVRO FOI IMPRESSO
PELA EDIÇÕES LOYOLA EM
PAPEL PÓLEN BOLD 70G EM
DEZEMBRO DE 2023.